5

SUNSHINE ITALIAN PHRASE BOOK

By

S. X. PIAZZA, Ph.D.

PAPERFRONTS

Elliot Right Way Books
Kingswood, Surrey, U.K.

Made and Printed in Great Britain by
Hunt Barnard Printing Ltd., Aylesbury, Bucks.

CONTENTS

3

PART I

PART II

CONTENTS   5

PREFACE

This book is intended to give a practical knowledge of conversational Italian, and the phrases chosen should enable visitors to Italian-speaking countries to express their everyday requirements.

Special attention has been paid to analysing the needs of tourist, holidaymaker and businessman. A feature of the book is the success that has been achieved in including every phrase likely to be needed by the traveller, while still featuring handy pocket size and great ease of reference.

Starting on Page 11 of the book is a quick-reference section showing how to get help in the event of emergency.

HOW TO USE THIS BOOK

The correct use of a foreign language derives from habit rather than from knowledge. A person could know all the rules of Italian Grammar, yet still be unable to speak Italian.

The right way to learn to speak a foreign language is to memorise the most useful words and phrases which occur over and over again. These have been arranged in Part I of this book by an experienced language teacher. You have got to know these, so *learn them by heart through constant repetition.*

The second part of the book gives classified lists of useful vocabulary. Words closely related in sense have been grouped together under convenient headings to enable easy reference. The grouping of words in a logical rather than an alphabetical order has been found more suitable for beginners.

There is no need to learn all the words in the second part by heart. They can be looked up when needed and combined with the phrases given in Part I. Thus the student who was memorising the Italian for 'I would like to . . .', 'Would you like to?', 'Where can I find . . .?', 'Please show me . . .', etc., has a stock of correct language forms at his command which he can enlarge as occasion arises from the lists provided in the second part of the book. He can further extend his vocabulary by use of a good dictionary.

CALLING FOR HELP

In Italy there is no centralised system for calling out emergency services. One looks up the number of the nearest police station or hospital or fire station or what-have-you and calls. All public phones are in public bars and since bars are always full there is always someone who knows the required number. At home instead, each occupier has the relevant numbers jotted down by the phone (with electrician's, plumber's, etc. number as well).

In some big cities such as Milan, Turin, Rome, etc., there *is* a number that can be called should one be unable to get through to the particular services required (sic, stated on the Milan telephone book). In Milan it is 113; in the other cities it varies.

Calling for help	Chiamere aiuto
Please call for a doctor	**Per favore chiamate un dottore**
Please call for an ambulance	**l'ambulanza**
Please call out a rescue party	**il gruppo salvataggio**
Please call for the coastguards	**le guardie costiera**
(fire brigade)	**i pompieri**

ACCIDENTS

Accidents	Incidenti
There has been an accident	C'è stato un incidente
The car has crashed	La vettura si è scontrata
The aeroplane has crashed	L'aereo è caduto
The bus has crashed	L'autobus si è scontrata
The train has crashed	C'è stato un deragliamento
He has been seriously injured	É gravemente ferito
He has broken his arm (leg)	Si è rotto il braccio (la gamba)
He is unconscious	Ha perso la conoscenza
He is being swept out to sea	Le onde lo portano al largo
He is drowning	Si stà affogando
The boat has capsized	L'imbarcazione si è capovolta
Man overboard!	Uomo in mare
He has been attacked (robbed)	L'hanno assalito (derubato)
He has fallen down the mountain (cliff)	E' caduto in montagna (dalla scogliera)
There has been an avalanche	C'è stata una valanga
He has had an electric shock	Ha preso la scossa
Please will you call for help?	Per favore chiamate aiuto

EMERGENCY

Emergency	Emergenza
Illness	Malattia
Heart Attack	Attacco cardiaco
He has collapsed	Ha avuto un collasso
Appendicitis	L'appendicite
He has stopped breathing	Non respira più
He has fainted	E' svenuto
He has been poisoned with this	E' stato avvelenato con questo
He has taken an overdose of this	Ha preso una dose di questo
He has a high temperature	Ha la febbre alta
The baby is arriving	Sta per nascere
He is having a fit	Sta per avere un attacco

ITALIAN PRONUNCIATION

Italian pronunciation follows definite rules, which, once mastered, make it possible for almost every word to be pronounced correctly. The pronunciation indicated here is the recognised standard form as it is taught in Italian schools and understood all over the country. There are however, considerable regional variations.

VOWELS

Italian vowels are pure sounds. That is to say, the position of lips, tongue and jaws remains the same whilst the sound is uttered. This has to be constantly remembered when consulting the following table. The English equivalents given do not have quite the same sounds, as most English vowels are not pure sounds but diphthongs. For example the 'o' in home is pronounced as mixture of two sounds, something like ho-em. Such diphthongs do not exist in Italian. Even when vowels follow each other, each one must be distinctly and separately pronounced.

The difference between stressed and unstressed vowels is very slight and is known mainly by the lengthening of the stressed vowel. Whereas in English unstressed vowels are often rendered with an obscure, neutral sound (as in the last syllables of 'specimen' or 'sofa'), in Italian both stressed and unstressed vowels retain their pure sound in all positions.

All vowels should be pronounced well forward in the mouth.

Vowel	Pronunciation	Examples
a	as in father[1]	**la casa** (house)
e	as in get[2]	**la neve** (snow)
i	as in machine	**i nidi** (nests)
o	as in hot[2]	**il nonno** (grandfather)
u	as in put	**tutto** (all)

1 Shorter before two or more consonants, *e.g.* **canto. maschera,**
2 Strictly speaking, both "e" and "o" have an open and a close sound, but this distinction is often ignored by even the most educated Italians.

(*a*) Open "e" as in rest, net, set	*e.g.* **pieno** (full), **sette** (seven)	
Close "e" as in prey	*e.g.* **meno** (less), **nero** (black)	
(*b*) Open "o" as in rock, spot	*e.g.* **cotto** (cooked), **nove** (nine)	
Close "o" as in prose, nose	*e.g.* **dopo** (after), **rotto** (broken)	

CONSONANTS

Double consonants have the same sound as single consonants but are pronounced with greater emphasis.

Consonants are pronounced as in English, with the following exceptions:

Consonant	Pronunciation	Examples
c	1. before *a, o, u* and before consonants as in *car*	il carro, cart
		credere, to believe
	2. before *e* and *i*, as *ch* in *church*	la cera, wax
		la città, a town
ch	as in *chemist*	l'occhio, eye
g	1. before *a, o, u* and before consonants (except *l* and *n*), as in *good*	la gola, throat
		il grasso, fat
	2. before *e* or *i* as in *gin*	il ginocchio, knee
gh	as in *ghost*	il ghiaccio, ice

gli	similar to *lli* in *billiards*. (In the following words, however, *gli* is pronounced as in *angle*: anglicano (Anglican), glicerina (glycerine), geroglifico (hieroglyphic), negligente (negligent)	il figlio, son
gn	similar to *ni* in *onions*	il bagno, bath
h	is always silent. As we have seen above, it is added to *c* and *g* to harden their sounds in front of *e* and *i*.	
qu	as in *quite*	quattro, four
r	is trilled by vibrating the tongue, in the Scottish manner	la sera, evening il ferro, iron
s	1. as in *rose* between vowels, or when followed by the consonants *b, d, g, l, m, n, r, v*	la rosa, rose lo sbaglio, mistake
	2. as in *sand* in all other cases or when it is double	la seta, silk rosso, red
sc	like *sh* before *e* or *i*; otherwise like *sk*	la scelta, choice scuro, dark

z has two sounds: it is sometimes soft   la zia, aunt
   (voiced), like *ds* in *goods*, some-   la forza, strength
   times sharp (unvoiced), like the *ts*   le nozze, wedding
   in *nuts*. There are no general rules,
   but for guidance bear in mind that
   z at the beginning of a word is
   usually voiced, and that the double
   z is usually unvoiced

STRESS, ACCENT, APOSTROPHE

As a general rule, the stress in an Italian word of more than one syllable
falls on the penultimate syllable but there are numerous exceptions:

(1) the third person plural of verbs is stressed on the ante-penultimate
    syllable: àmano (they love), amàrono (they loved). The third person
    plural of the Future however follows the general rule (stress on the
    penultimate): amerànno (they will love).

(2) the first pers. pl. of the Subj. Imperf.: avèssimo, amàssimo, partìs-
    simo.

(3) the first, second and third per. sing. of the Indic. and Subj. Present of SOME verbs of the first conjugation also have the tonic accent on the ante-penultimate syllable: desìdero (I want), giùdico (I judge), etc. (on the same verbs see No. 7).

(4) The Infinitive of almost all the verbs of the 2nd conj.: vèndere (to sell).

(5) the adjectives in the superlative degree: cattivìssimo (very bad).

(6) a number of other words as: ràpido (rapid), àbile (able), stùpido (stupid), etc.

(7) words stressed on THE LAST SYLLABLE BUT THREE such as the third person plural of the Indic. and Subj. Present of some verbs of the first conjugation (see No. 3): desìderano (they want), giùdicano (they judge), etc.

The written accent (which is usually grave) is used only when the stress occurs on the final vowel of a word. This vowel must then be sharply pronounced, as in *città*, town; *avrò*, I shall have.

The accent is also written on the words *già*, already; *giù*, down; *più*, more; *può*, he can; and on certain monosyllabic words in order to distinguish them from others of identical spelling but different meaning:

chè, because	che, that
là, there	la, the (f.)
nè, nor	ne, of it, of them
sè, himself, themselves	se, if
sì, yes	si, himself
è, is	e, and
dà, gives	da, from

The apostrophe indicates that a vowel has been dropped (generally to obtain a smooth link between one word and the next), as in *l'amica* (instead of *la amica*).

CAPITAL LETTERS

Initial capital letters are used for proper nouns, *e.g.* Maria, Europa.
Adjectives of nationality have small initial letters, unless they form part of a geographical designation, *e.g.*

un libro italiano	an Italian book
il Golfo Persiano	The Persian Gulf

Names of months, days and seasons have small initial letters, *e.g.*

una domenica di primavera	a spring Sunday
un giorno in aprile	a day in April

THE ALPHABET

Letter	Italian Name	Letter	Italian Name
a	a	n	enne
b	bi	o	o
c	ci	p	pi
d	di	q	qu (pronounced koo)
e	e	r	erre
f	effe	s	esse
g	gi	t	ti
h	acca	u	u
i	i	v	vi
l	elle	z	zeta
m	emme		

j, k, w, x and *y* are not used in Italian. When used to spell foreign words they are called *i lungo, cappa, doppio vi, ics, i greco.*

ITALIAN GRAMMAR

I. NOUNS

1. Gender

In Italian there are only two genders; every noun must be either masculine or feminine. This distinction of gender is purely grammatical and does not necessarily mean that something is 'male' or 'female'.

As a preliminary guide, it is useful to know that:

(*a*) Nouns ending in 'o' are masculine. There are a few exceptions to this rule, the most common of which are: la mano, the hand (f.) and la radio, the radio (f.).

(*b*) Nouns ending in 'a' are generally feminine, but some are masculine, *e.g.* il papa (the pope), il poeta (the poet), il collega (the colleague). Some may be either masculine or feminine and must be distinguished by the article: il pianista (the pianist), la pianista.

(c) Nouns ending in *-ione* are feminine, *e.g.* la stazione, the station,
la televisione, the television.

(d) Nouns ending in 'e' may be of either gender. Those denoting
people are easy to remember, *e.g.* il padre (the father); la madre
(the mother). Others may cause confusion, *e.g.* la classe (the
classroom), il nome (the name). Because of this the student should
try, from the beginning, to associate all nouns with their corres-
ponding articles.

2. Formation of the feminine

Masculine nouns ending in 'o' form the feminine by changing 'o' into
'a'. There are some exceptions such as: l'avvocato (the lawyer), l'avvo-
catessa (the lady-lawyer); il medico (the physician), la medichessa, etc.

Masculine nouns ending in 'a' form the feminine in *-essa*: il poeta,
la poetessa; il duca (the duke), la duchessa, etc. But pianista, violinista
(violinist), artista (artist), etc. do not change at all, only the article changes:
il violinista, la violinista.

Of the masculine nouns ending in 'e';

(a) Some change the 'e' into 'essa': il conte (the count), la contessa,
il barone (the baron), la baronessa, il principe (the prince),
la principessa, etc.

(*b*) Some change the 'e' into 'a' (like nouns ending in 'o'): il marchese (the marquis), la marchesa ; il padrone (the master), la padrona.

(*c*) Some change only the article: il nipote (the nephew), la nipote. The same happens with nouns formed by present participles such as: il cantante (the singer), la cantante; il principiante (the beginner), la principiante, etc. and with nouns deriving from adjectives such as: il Francese (the Frenchman), la Francese; l'Inglese (the Englishman), la Inglese, etc.

(*d*) Some having the final 'e' preceded by 'tor' (tore) such as pittore (painter), attore (actor), direttore (director), etc. change the ending 'tore' into 'trice': la pittrice, l'attrice, la direttrice, etc.

A few of these nouns ending in 'tore' form, however, make the feminine by changing the final 'e' into 'a' (like those under (*b*)): il tintore (the dyer), la tintora, etc.

The feminine of 'dottore' (doctor) is 'dottoressa'.

Others have two forms such as 'il tessitore' (the weaver), la tessitrice or la tessitora, etc.

A few nouns indicating animals have only one gender and cannot be turned into the other. For these, if necessary, the words *maschio* (male) or *femmina* (female) must be added: la pantera (the panther), l'aquila (the eagle), la rondine (the swallow), etc.: la pantera maschio, la rondine femmina, etc.

The names of trees are generally masculine, and those of fruits feminine:

il pero, the pear-tree	**la pera**, the pear
il melo, the apple-tree	**la mela**, the apple

Exceptions: il fico (the fig-tree), il limone (the lemon-tree), il dattero (the date-tree), l'ananasso (the pine-appletree), always masculine either denoting the tree or the fruit. La quercia (the oak), la palma (the palm-tree), are feminine.

Note also the following irregular forms of feminines:

il dio, the god	**la dea**, the goddess
il re, the king	**la regina**, the queen
il gallo, the cock	**la gallina**, the hen
il leone, the lion	**la leonessa**, the lioness
il cane, the dog	**la cagna**, the bitch
l'eroe, the hero	**l'eroina**, the heroine

The following nouns have a feminine entirely different from the masculine:

l'uomo, the man	la donna, the woman
il maschio, the male	la femmina, the female
il marito, the husband	la moglie, the wife
il fratello, the brother	la sorella, the sister
il genero, the son in law	la nuora, the daughter in law
il frate, the monk	la monaca, the nun
il bue, the ox	la vacca, the cow
il padre, the father	la madre, the mother
il babbo, dad	la mamma, mamma

3. Formation of the Plural of Nouns

(a) Masculine Nouns ending in 'o', 'a' or 'e' change the final vowel to 'i', *e.g.* libro—libri
    poeta—poeti
    padre—padri

(b) To form the plural of nouns ending in -*io* omit the -*o*, unless the -*i*- is stressed, in which case change -*io* into -*ii*. *e.g.* il figlio—i figli BUT lo zio—gli zii.

(c) Feminine nouns ending in 'a' change -a into -e.

(d) Feminine nouns ending in 'e' change -e into -i.

Note: The plural of the feminine nouns 'la mano', the hand; and 'la radio', the radio, is 'le mani' and 'le radie'.

II. ARTICLES

1. Indefinite Article

The indefinite article *a, an* is translated by:

- (a) *un*   before masculine nouns in the singular, except those beginning with *s* impure* or *z*.
- (b) *uno* before a masculine singular noun beginning with *s* impure or *z*.
- (c) *una* before a feminine singular noun beginning with a consonant. If the noun begins with a vowel *una* is reduced to *un'*.

2. Definite Article: (A) SINGULAR

'The' is translated by:

- (a) *il*   before a masculine singular noun beginning with a consonant, except *s* impure* or *z*.

---

* An *s* followed by a consonant

(b) *lo*   before a masculine singular noun beginning with *s* impure
            or *z*.
(c) *la*   before a feminine singular noun beginning with a consonant.
(d) *l'*   before a masculine or feminine noun in the singular beginning
            with a vowel.

(B) PLURAL

The plural of:

il is i	l' (f.) is le
la is le	lo is gli
l' (m.) is gli	

Note: *gli* generally becomes *gl'* before a word beginning with *i*.

3. Partitive Construction—some, any

Some or any are translated by:

(a) *del*   (a contraction of *di*+*il*) in front of a masculine noun in the
             singular.
(b) *dello* in front of a masculine noun in the singular commencing
             with *s* impure* or *z*.

* An *s* followed by a consonant

(c) *della* in front of a feminine noun in the singular.

(d) *dell'* in front of a masculine or feminine noun in the singular commencing with a vowel.

(e) *dei* in front of a masculine noun in the plural.

(f) *degli* in front of a masculine plural noun commencing with a vowel, *s* impure or *z*.

(g) *delle* in front of a feminine plural noun.

III. ADJECTIVES

1. Agreement of Adjectives

All adjectives must agree in gender and number with the noun they qualify:

(a) If the adjective ends in 'o' the feminine is formed by changing the 'o' to 'a'.

The plural is formed by changing the 'o' to 'i', and the 'a' to 'e'.

(b) If the adjective ends in 'e', it remains the same for the feminine singular. To form the plural for both genders change the 'e' to 'i'.

2. Position of Adjectives

Adjectives usually follow the noun, but some adjectives like *bello*, *buono*, *vecchio*, *giovane*, *grande* precede it. When these adjectives are placed after the noun, the quality they confer to it is rather emphasized. For instance, '*un buon uomo*' is a good-natured man, but '*un uomo buono*' is a specially good man.

Any adjective is placed before the noun when the latter is followed by a complement: '*l'infelice figlio di X.*' (the unhappy son of X.)

Adjectives preceded by an adverb are placed after the noun: una casa molto bella, un giardino molto grande.

Adjectives denoting colour, shape, nationality and religion always follow the noun.

IV. PREPOSITIONS

to,	=a	of	=di
from	=da	in	=in
on	=su	for	=per
with	=con		

When followed by the definite article, these prepositions are joined to it and form the following combinations:

		A	*DA*	*SU*	*DI*	*IN*	*CON*	*PER*
joined to	*il*	al	dal	sul	del	nel	col or con il	pel or per il
,,	*lo*	allo	dallo	sullo	dello	nello	con lo	per lo
,,	*l'*	all'	dall'	sull'	dell'	nell'	con l'	per l'
,,	*la*	alla	dalla	sulla	della	nella	con la	per la
,,	*i*	ai	dai	sui	dei	nei	coi or con i	pei or per i
,,	*gli*	agli	dagli	sugli	degli	negli	con gli	per gli
,,	*gl'*	agl'	dagl'	sugl'	degl'	negl'	con gl'	per gl'
,,	*le*	alle	dalle	sulle	delle	nelle	con le	per le

V. PERSONAL PRONOUNS

In the sentence *Io lo vedo* (I see him), *io* is the subject, *lo* is the direct object. In the sentence *Io gli do un libro* (I give him a book), *io* is the subject, *gli* is the indirect object, since what I actually give (*i.e.* the direct object) is *il libro*.

The dative (*i.e.* indirect object) pronouns—*gli* (to him), *le* (to her, or to you, singular polite form) and *loro* (to them, or to you, plural polite form) —must be distinguished from the accusative (*i.e.* direct object pronouns) *lo, la, li, le* and also from the articles.

The following table sets out the Nominative, Accusative and Dative forms of the personal pronouns.

Singular	*Nominative* (subject)		*Accusative* (direct object)		*Dative* (indirect object)	
1st person	I	– Io	me	– mi	to me	– mi
2nd person (fam.)	You	– Tu	you	– ti	to you	– ti
2nd person (pol.)	You	– Lei	you	– la	to you	– le
3rd person (m.)	he	– egli	him	} – lo	to him	} – gli
	it	– esso	it		to it	
3rd person (f.)	she	– ella	her	} – la	to her	} – le
	it	– essa	it		to it	

Plural						
1st person	We	– noi	us	– ci	to us	– ci
2nd person (fam.)	You	– voi	you	– vi	to you	– vi
2nd person (pol.)	You	– loro	you	– li (m.) le (f.)	to you	– loro (m. & f.)
3rd person (m.)	They	– essi	them	– li	to them	– loro
3rd person (f.)	They	– esse	them	– le	to them	– loro

Both the direct and the indirect object pronouns precede the verb, with the exception of *loro*, which follows it.

If, however, the verb is an infinitive, an imperative affirmative, or a present or past participle, the pronouns follow the verb and are joined to it, *e.g.* vederlo, to see it; Mangialo! Eat it!
vedendolo, seeing it; vedutolo, having seen it.

VI. POSSESSIVE ADJECTIVES AND PRONOUNS

Singular		*Plural*		*Meaning*	
(*masc.*)	(*fem.*)	(*masc.*)	(*fem.*)	(*adjective*)	(*pronoun*)
il mio	la mia	i miei	le mie	my	mine
il tuo	la tua	i tuoi	le tue	your (fam. sing.)	yours (fam. sing.)
il suo	la sua	i suoi	le sue	his, her, its	his, hers, its
il Suo	la Sua	i Suoi	le Sue	Your (pol. sing.)	Yours (pol. sing.)
il nostro	la nostra	i nostri	le nostre	our	ours
il vostro	la vostra	i vostri	le vostre	your (fam. pl.)	yours (fam. pl.)
il loro	la loro	i loro	le loro	their	theirs
il Loro	la Loro	i Loro	le Loro	Your (pol. pl.)	Yours (pol. pl.)

The possessive adjectives are preceded by the article, except in front of singular nouns indicating relations (*e.g.* mio fratello, mia sorella, BUT i miei fratelli, le mie sorelle). When the singular noun is qualified by an adjective the article is inserted (la mia piccola sorella, my little sister). The words *babbo* (daddy) and *mamma* (mummy) also admit the article.

Possessive adjectives and pronouns in Italian agree with the noun expressing what is possessed and not (as in English) with the possessor, i.e. *il suo cappello* is the Italian for both 'his hat' and 'her hat', because *cappello* is masculine.

If there is any doubt as to the person referred to, confusion may be avoided by using 'di lei' (of her) to '(di lui)' (of him).

e.g. Maria legge il suo giornale. (Mary reads her newspaper.) But if we wish to say 'Mary reads his newspaper', we then translate thus: 'Maria legge il giornale di lui'.

VII. INTERROGATIVES

The following are always invariable:

Chi ?	– Who, whom ?	**Dove?**	– Where ?
Che, che cosa, cosa ?	– What	**(Dov')**	before a vowel
Come?	– How ?	**Perchè?**	– Why

Note: *perchè* also means 'because'.

The following are variable and therefore agree in gender and number with their nouns:

Quale? – which, when followed by a singular noun (m. & f.)
Quali? – which, when followed by a plural noun (m. & f.)
Quanto? – how much (m.)
Quanta? – how much (f.)
Quanti? – how many (m.)
Quante? – how many (f.)

VIII. DEMONSTRATIVE ADJECTIVES

This = *Questo*.   Usually refers to somebody or something near to the person who is speaking.

That = *Quello*.   Refers to something or somebody far from both the speaker and the person spoken to.

That = *Codesto*.   (Also written 'cotesto').—Refers to somebody or something far from the speaker but near the person spoken to.

IX. COMPARISON OF ADJECTIVES AND ADVERBS

1. The comparison of the adjective is formed with the word 'più', *e.g.*

più intelligente di,	more intelligent than
più grosso di,	larger than

'Than' after the comparison is 'di'.

The superlative is formed with 'più' preceded by the appropriate article, *e.g.*

$$\left.\begin{array}{l} \text{il più bello} \\ \text{la più bella} \\ \text{i più belli} \\ \text{le più belle} \end{array}\right\} \text{ the most beautiful}$$

The comparison of inferiority is formed with 'meno', and 'il (la, i, le) *meno' is used for the superlative, *e.g.*

meno brutto,	less ugly
il meno brutto,	the least ugly

'Very' before an adjective is often expressed by dropping the final vowel of the adjective and adding -*issimo:*

svelto, quick	sveltissimo, very quick

Irregular comparatives and superlatives are:

buono, migliore, il migliore, ottimo!	good, better, best, excellent

cattivo,	peggiore,	il peggiore,	pessimo!	bad, worse, worst, very bad
grande,	maggiore,	il maggiore,	massimo!	great, greater, greatest, very great
piccolo,	minore,	il minore,	minimo!	little, less, least, the least

2. *Adverbs* derived from adjectives are formed by adding *-mente* to the feminine form of the adjective, *e.g.*

generoso, generosamente,	generous, generously
allegro, allegramente,	merry, merrily

Exceptions:

buono, bene	good, well
cattivo, male	bad, badly

Adverbs form their comparison in the same way as adjectives, *e.g.*

facilmente, più facilmente,	easily, more easily
il più facilmente,	most easily

A few adverbs have an irregular comparison:

bene	meglio	il meglio	well	better	best
male	peggio	il peggio	bad	worse	the worst
molto	più	il più	much	more	the most
poco	meno	il meno	little	less	least

Il meglio, il peggio, il più, il meno are used only as nouns, *e.g.*

'Il meglio che possa succedermi   The best that can happen to me ...'

X. VERBS

A verb consists of two elements: the stem and the ending. The stem is invariable in regular verbs, while the ending undergoes certain variations by which persons, tenses and moods are distinguished.

Italian Verbs are divided into three conjugations, which are determined by their infinitive endings.

> The 1st conjugation ends in -are e.g. *parlare*
> The 2nd conjugation ends in -ere   *vendere*
> The 3rd conjugation ends in -ire   *partire*

Each conjugation has a pattern of its own. The verbs which follow a pattern are regular and those which do not are irregular.

A. Conjugation of the Auxiliary Verbs 'Avere' and 'Essere'

Infinitive	Gerund and Past Participle	Present Indicative I have, etc. I am, etc.	Future I shall have (be) etc.	Imperfect I had (used to have) I was, etc.	Past Definite I had, etc. I was, etc.
AVERE to have	avendo having avuto had	IO ho TU hai EGLI ha NOI abbiamo VOI avete ESSI hanno	avrò avrai avrà avremo avrete avranno	avevo avevi aveva avevamo avevate avevano	ebbi avesti ebbe avemmo aveste ebbero
ESSERE to be	essendo being stato been	IO sono TU sei EGLIè NOI siamo VOI siete ESSI sono	sarò sarai sarà saremo sarete saranno	ero eri era eravamo eravate erano	fui fosti fu fummo foste furono

Infinitive	Conditional I should have (be) etc.	Present Subjunctive That I have (be) etc.	Imperfect Subjunctive That I had (be) etc.	Perfect I had (was) etc.	Pluperfect I have had (been) etc.
AVERE	avrei	abbia	avessi	ho avuto	avevo avuto
	avresti	abbia	avessi	hai avuto	avevi avuto
	avrebbe	abbia	avesse	ha avuto	aveva avuto
	avremmo	abbiamo	avessimo	abbiamo avuto	avevamo avuto
	avreste	abbiate	aveste	avete avuto	avevate avuto
	avrebbero	abbiano	avessero	hanno avuto	avevano avuto
ESSERE	sarei	sia	fossi	sono stato(a)	ero stato(a)
	saresti	sia	fossi	sei stato(a)	eri stato(a)
	sarebbe	sia	fosse	è stato(a)	era stato(a)
	saremmo	siamo	fossimo	siamo stati(e)	eravamo stati(e)
	sareste	siate	foste	siete stati(a)	eravate stati(e)
	sarebbero	siano	fossero	sono stati(e)	erano stati(e)

B. Conjugation of the Model Regular Verbs

Infinitive Gerund and Past Partic.	Present Indicative I speak, sell, finish, leave	Future I shall speak, sell, finish, leave	Imperfect I was speaking etc.	Past Definite I spoke, sold, etc.	Present Perfect I have spoken etc.
PARLARE to speak **PARLANDO** speaking **PARLATO** spoken	parlo parli parla parliamo parlate parlano	parlerò parlerai parlerà parleremo parlerete parleranno	parlavo parlavi parlava parlavamo parlavate parlavano	parlai parlasti parlò parlammo parlaste parlarono	ho parlato hai parlato ha parlato abbiamo parlato avete parlato hanno parlato
VENDERE to sell **VENDENDO** selling **VENDUTO** sold	vendo vendi vende vendiamo vendete vendono	venderò venderai venderà venderemo venderete venderanno	vendevo vendevi vendeva vendevamo vendevate vendevano	vendei (-etti) vendesti vendè (-ette) vendemmo vendeste venderono (-ettero)	ho venduto hai venduto ha venduto etc.

Infinitive Gerund and Past Partic.	Present Indicative I speak, sell, finish leave	Future I shall speak, sell, finish leave	Imperfect I was speaking etc.	Past Definite I spoke, sold, etc.	Present Perfect I have spoken etc.
FINIRE to finish **FINENDO** finishing **FINITO** finished	finisco finisci finisce finiamo finite finiscono	finirò finirai finirà finiremo finirete finiranno	finivo finivi finiva finivamo finivate finivano	finii finisti finì finimmo finiste finirono	ho finito etc.
PARTIRE to leave (to depart) **PARTENDO** leaving **PARTITO** left	parto parti parte partiamo partite partono	partirò partirai partirà partiremo partirete partiranno	partivo partivi partiva partivamo partivate partivano	partii partisti partì partimmo partiste partirono	sono partito(a) etc. siamo partiti(e) etc.

NOTES.—Formation of tenses:

1. **Present Indicative:** Add the following endings to the stem: -o, -i, -a, or -e; -iamo, -ate -ete -ite, -ano or -ono. Some verbs of the 3rd conjugation, like finire, before adding these endings take -isc- in all the singular persons and in the third person plural.

2. **Future:** Drop the last vowel of the infinitive and add the following endings: -ò, -ai, -à, -emo, -ete, -anno. Verbs ending in -are, change the *a* of the infinitive ending 'are' to 'e'.

3. **Imperfect:** Drop the last two letters of the infinitive ending 're' and add: -vo, -vi, -va, -vamo, -vate, -vano.

4. **Past Definite:** Add the following endings to the stem:
   Sing.: -ai, -ei (-etti); -ii; -asti, -esti, -isti; -è, -è (-ette), -i;
   Pl.: -ammo, -emmo, -immo; -aste, -este, -iste; -arono, -erono (-ettero), -irono.

5. **Present Perfect:** Conjugate the present tense of the auxiliary verbs 'essere' or 'avere' followed by the Past Participle. Verbs of motion and reflexive verbs take 'essere'. The others 'avere'.

Conditional I should speak, (sell, finish) etc.	Present Subjunctive That I speak (sell etc.)	Imperfect Subjunctive That I spoke (sold, etc.)	Pluperfect I had spoken (sold etc.)	Imperative Speak (sing.) Let us speak Speak (pl.)
parlerei	parli	parlassi	avevo parlato	2nd sing. PARLA (fam.)
parleresti	parli	parlassi	avevi parlato	2nd sing. PARLI (pol.)
parlerebbe	parli	parlasse	aveva parlato	1st pl. PARLIAMO
parleremmo	parliamo	parlassimo	avevamo parlato	2nd pl.:
parlereste	parliate	parlaste	avevate parlato	(fam.) PARLATE
parlerebbero	parlino	parlassero	avevano parlato	(pol.) PARLINO
venderei	venda	vendessi	avevo venduto	2nd sing. VENDI (fam.)
venderesti	venda	vendessi	avevi venduto	2nd sing. VENDA (pol.)
venderebbe	venda	vendesse	aveva venduto	1st pl. VENDIAMO
venderemmo	vendiamo	vendessimo	avevamo venduto	2nd pl.
vendereste	vendiate	vendeste	avevate venduto	(fam.) VENDETE
venderebbero	vendano	vendessero	avevano venduto	(pol.) VENDANO

Conditional I should speak, (sell, finish) etc.	*Present Subjunctive* That I speak (sell, etc.)	*Imperfect Subjunctive.* That I spoke (sold, etc.)	*Pluperfect* I had spoken (sold, etc.)	*Imperfect* Speak(sing) Let us speak speak (pl.)
finirei finiresti finirebbe finiremmo finireste finirebbero	finisca finisca finisca finiamo finiate finiscano	finissi finissi finisse finissimo finiste finissero	avevo finito avevi finito etc.	2nd sing. (fam.) FINISCI (pol.) FINISCA 1st pl. FINIAMO 2nd pl. (fam.) FINITE (pol.) FINISCANO
partirei partiresti etc.	parta parta etc.	partissi partissi etc.	ero partito(a) etc.	PARTI, PARTA PARTIAMO PARTITE PARTANO

NOTES.—Formation of the:

1. Conditional: The same rule as for the future. Instead of adding the future endings, add: -ei, -esti, -ebbe; -emmo, -este, -ebbero.

2. Present Subjunctive: Add the following endings to the stem (a group of verbs, like 'finire' take 'isc' before the endings in the 3 persons singular and the last plural): -i or -a, -i or -a, -i or -a; -iamo, -iate, -ano.

3. **Imperfect Subjunctive:** Drop the last two letters (-re) of the infinitive and add: -ssi, -ssi, -sse; -ssimo, -ste, -ssero.

4. **Pluperfect:** Imperfect of 'avere' or 'essere' followed by the past participle.

Further Study

To cover other parts of grammar would be beyond the scope of this book, but we can recommend the following three books by Ottavio Negri and Joseph Harvard published by the University of London Press:

(1) 'Beginners' Italian' which clearly explains the elements of grammar to a student learning without a teacher.

(2) "Conversational Italian" which in addition to systematic fluency practice contains a complete grammar of the spoken language.

(3) "Italian for Pleasure" which introduces the student to the reading of stories, songs, plays and dialogues of Italian films.

Part I

GREETINGS AND LEAVE-TAKING

Buon giorno	Good morning. Good day
Buona sera	Good evening
Buona notte	Good night
Arrivederci (-la)	Good bye
A più tradi	See you later
A domani	See you tomorrow
Buon viaggio	Good journey
Buona fortuna	Good luck
Dorma bene	Sleep well
Buona guarigione	Speedy recovery
I miei complimenti a	Kind regards to
suo padre	your father
sua madre (moglie)	your mother (wife)
sua figlia	your daughter
suo marito	your husband

The latter are formal and polite. With nearer acquaintances the 'Suo, Sua' are replaced by 'Tuo, Tua'.

If you know a person's rank or profession these may be added to the greeting, *e.g.*

> Buon giorno, Signor dottore
> Buona sera, professor Bindi

Titles ending in 'ore' (they are all of masculine gender) such as 'Signore, Professore, Senatore, etc.' drop the final 'e' whenever followed by a proper name or another title as seen in the examples.

THANKS AND APOLOGIES

Grazie. La (ti) ringrazio	Thanks. Thank you
Tante grazie	Thank you very much
Lei è molto gentile	It's very kind of you
Non c'è di che	Don't mention it
Mi permetta	Allow me.
Prego	Please do. (Also said when giving something, offering one's seat, letting someone pass, etc.).
Spiacente Mi scusi	Sorry. Excuse me
Mi perdoni. (Scusi)	I beg your pardon
Chiedo perdono. (Chiedo scusa)	I apologize
Prego? (Come?)	I beg your pardon? (When meaning "I did not quite catch what you said")
Mi dispiace molto di averla fatta aspettare	I am very sorry to have kept you waiting

51

Non fa nulla	That doesn't matter
Mi dispiace di essere in ritardo	I am sorry I'm late
Non ho potuto arrivare qui prima	I couldn't get here before

'YES' AND APPROVAL

Sì. Davvero	Yes. Indeed
Certamente	Certainly
Naturalmente. (Certo)	Of course
Benissimo	Very well
Va bene	All right
Ha ragione	You are right
Sono pienamente favorevole	I am all for it
Sono d'accordo	I agree
Senza questione	Without question
Senza dubbio	Without doubt
Simpatico (a). Gentile. Attraente	Nice
Grazioso (a)	Pretty
Bello (a)	Beautiful
Eccellente, Meraviglioso, Magnifico	Excellent, Wonderful, Magnificent
Mi piace	I like it (him, her)

Mi piacciono	I like them
Egli è simpaticissimo	He is very nice
Essa è simpaticissima	She is very nice
Essi sono	They are

'NO' AND DISAPPROVAL

Oh no!	Oh no!
Per nulla. (Affatto)	Not in the least
Credo di no	I don't think so
Certamente no	Certainly not
Non ancora	Not yet
Niente affatto! (Ma che!)	Not at all
Non serve! è inutile	It's no good
Non importa! non fa nulla	Never mind. It doesn't matter
Non m'importa	I don't mind
Non so	I don't know
Al contrario	On the contrary
Non sono interamente d'accordo con lei	I don't quite agree with you
Credo che in ciò lei non abbia ragione	I don't think you are right there
È lì dove io non sono d'accordo con lei	That's where I disagree with you

Ne dubito alquanto	I rather doubt that
Ho paura che in ciò lei si sbagli	I am afraid you are mistaken there
Ho paura di non poter dirglielo	I am afraid I can't tell you
Non ne ho la minima idea	I haven't the slightest idea
È del tutto impossibile	It's quite impossible
È fuori di questione	It's out of the question
Non potrei proprio farlo	I couldn't possibly do it
È molto improbabile (inverosimile)	It's most unlikely
Non lo credo	I don't believe it
Non posso crederlo	I can't believe it
Non ne credo neanche una parola	I don't believe a word of it
Che sciocchezza!	What nonsense!
Non mi piace	I don't like it (him, her)
È veramente terribile	It's really awful
È ripugnante. Disgustante	It is nasty. Disgusting
Non posso sopportarlo	I can't stand him or it
Una persona molto spiacevole	A most unpleasant sort of person
Non posso dire di amarlo \ Non posso dire che mi piaccia }	I can't say I like him

HESITATION AND DOUBT

Forse	Perhaps
Non si sa mai	One never can tell
È difficile a dirsi	That's hard to tell
Non sono proprio certo	I'm not quite sure
Forse è così	Perhaps so
Molto probabile	Very likely
Sembra così	It seems so
Lo suppongo	I suppose so
Dicono così. Si dice così	People say so
Può darsi	Maybe
Crede veramente di sì?	Do you really think so?
È perfettamente possibile	It's quite possible
Probabilmente	Probably
Non sarei sorpreso	I shouldn't be surprised
È molto improbabile	It's most improbable
Lo credo appena possibile	I hardly think it possible

Probabilmente non è a casa	He's probably not in
Potrebbe esserci	He might be there
Non credo che ella verrà	I don't think she will come
Credo che egli lo farà	I expect he will do it
Dubito se lo farà	I doubt whether he will do it
Ne dubito molto	I very much doubt it
Temo che lei si sbagli	I am afraid you may be mistaken
Ne è completamente certo?	Are you quite sure of it?
Ciò dipende	That depends
È questione di opinione	That's a matter of opinion
È questione di gusto	That's a matter of taste
Non m'importa affatto di questa specie di cose	I don't quite care for that sort of thing
Non mi curo molto di questa specie di persone	I don't much care for that sort of person
Va benissimo, ma . . .	That's all very well, but . . .

COMMANDS AND REQUESTS

Familiar form	*Polite form*	
Vieni	Venga	Come
	Favorisca venire	Please come
Aspetti	Aspetta	Wait
Scrivi	Scriva	Write
Leggi	Legga	Read
Entri	Entra	Come in
Sali	Salga	Come up
Vieni subito	Venga subito	Come at once
Non entrare ora	Non entri ora	Don't come in now
Non entrarci	Non ci entra	Don't go in there
Non aspettare	Non aspetta	Don't wait
Non prenderlo	Non lo prenda	Don't take it
Accomodati	Si accomodi	Take a seat
Portami . . .	Mi porti . . .	Bring me . . .

• Portaci ...	Ci porti ...	Bring us ...
Parla Inglese	Parli inglese	Speak English
Parla lentamente	Parli lentamente	Speak slowly
Non parlare così in fretta	Non parli così in fretta	Don't speak so fast
Parla più forte	Parli più forte	Speak louder
Guida più in fretta	Guidi più in fretta	Drive faster
Non guidare così in fretta	Non guidi così in fretta	Don't drive so fast
Non così in fretta (lentamente)		Not so fast (slow)

Vorrei ...	I should like ...
Potrei avere ...?	Could I have ...?
Vorrebbe avere la bontà di	Would you be so kind as to
portarmi un bicchiere di acqua?	bring me a glass of water?
farmi accendere?	give me a light?
ripararlo?	repair it?
fare riparare questo?	have this repaired?
chiudere la finestra?	shut the window?

QUESTIONS AND ANSWERS

Lei viene, non è vero?	You are coming, aren't you?
Lei aspetta, non è vero?	You are waiting, aren't you?
Lei capisce, non è vero?	You understand, don't you?
Lei parla inglese, non è vero?	You speak English, don't you?
Oggi è martedì, non è vero?	It's Tuesday today, isn't it?
Basta, vero?	That's enough, isn't it?
Viene (lei)?	Are you coming?
Aspetta (lei)?	Are you waiting?
Fuma (lei)?	Do you smoke?
Parla inglese (lei)?	Do you speak English?
Viene suo marito (sua moglie)?	Is your husband (your wife) coming
Egli (ella) beve birra?	Does he (she) drink beer?
Che cosa prende lei (ella)?	What is he (she) having?
Sì, vengo	Yes, I'm coming
No, non vengo	No, I'm not coming
Sì, capisco	Yes, I understand

No, non capisco	No, I don't understand
Sì, egli (ella) viene	Yes, he (she) is coming
No, egli (ella) non viene	No, he (she) is not coming
Sì, egli (ella) la beve	Yes, he (she) drinks it
No, egli (ella) non la beve	No, he (she) does not drink it

Note that there is no difference in Italian between 'I come' and 'I am coming', nor is there between 'Are you coming?' and 'Do you come?' The same applies to the negative: 'Non fuma lei?' is both 'Don't you smoke?' and 'Aren't you smoking?'

QUESTION WORDS

1. *Where*

Dov'è egli?	Where is he?
Dov'è l'uomo?	Where is the man?
Dov'è il mio amico?	Where is my friend?
Dov'è la donna?	Where is the woman?
Dov'è la mia amica?	Where is my girl-friend?
Dove sono le lampade?	Where are lamps?
Dove sono (essi)?	Where are they?
Dov'è (lei)?	Where are you?
Dove sono (io)?	Where am I?
Dove siamo?	Where are we?
Dove va (lei)?	Where are going (to)?
Da dove viene (lei)?	Where do you come from?

2. *What*

Che cos'è?	What is it?
Che cosa dice (lei)?	What do you say? or What are you saying?
Che cosa fa (lei)?	What are you doing?
Che cosa mangia (lei)?	What are you eating? or What do you eat?
Che cosa dice (egli)?	What does he say? or What is he saying?
Che cosa mangia (ella)?	What is she eating? or What does she eat?
Che cosa beve (lei)?	What are you drinking? or What do you drink?
Che c'è di nuovo?	What's the news?

Note.—

1. 'With what' is 'Con che cosa?'

   Con che cosa scrive? What are you writing with?

2. Learn the following expressions where 'What' is translated differently:

Che ora è?	What time is it?
Come si chiama (lei)?	What is your name?
Come si chiama	What is the name of
questo posto?	this place?
questa città?	this town?
questo villaggio?	this village?

3. Who

Chi è?	Who is it?
Chi va là?	Who goes there?
Chi è quest'uomo?	Who is this man?
Chi è questa donna?	Who is this woman?
Chi sono queste persone?	Who are these people?
Chi lo sa?	Who knows it?
Chi lo dice?	Who says it?

4. Whom, of whom, to whom

Chi vede (lei)?	Whom do you see?
Chi ha visto (lei)?	Whom have you seen? or Whom did you see?

Per chi è?	For whom is it?
A chi scrive (lei)?	To whom are you writing?
A chi appartiene questo?	To whom does this belong?
Con chi va (lei)?	With whom do you go?
Di chi parla (lei)?	Of whom are you speaking?
Da chi l'ha avuto?	From whom have you got this?

5. *How much, how many*

Quanto costa?	How much does it cost?
Quante miglia?	How many miles?
Quanto (quanta) ne ha (lei)?	How much have you got?
Quanti (quante) ne ha (egli)?	How many has he got?

6. *How*

Quanto tempo?	How long?
Come?	How do you mean?
Come mai?	How's that? What is the reason for that?
Come va? (Come sta?)	Now goes it? (How are you?)

Come sta	suo padre?	How is your	father?
	sua madre?		mother?
	suo figlio?		son?
	sua figlia?		daughter?
Come stanno	i bambini?	How are the	children?
	i genitori?		parents?

7. *When*

Quando viene (egli)?	When is he coming?
Quando viene (lei)?	When are you coming?
Quando se ne va (ella)?	When is she going?
Quando posso rivederla?	When can I see you again?

8. *Why*

Perchè dice ciò?	Why do you say that?
Perchè fa ciò?	Why do you do that?
Perchè se ne va (lei)?	Why are you leaving?
Perchè non viene?	Why aren't you coming?
Perchè no?	Why not?

9. *Miscellaneous*

Quale?	Which one?
Quanto (quanta)?	How much?
Quanti (quante)?	How many?
Quante volte? Quanto tempo?	How often? How long?
Fino a qual punto? Perchè?	How far? What for?
E dopo?	What next?
Che ora è? Che ore sono?	What's the time?
Qual'è la data?	What's the date?
Che data è oggi?	
Quanti ne abbiamo oggi?	What's today's date?
Quanti ne abbiamo del mese?	What is the day of the month?
A che ora?	At what time?
In che giorno?	On what day?
In che mese?	In what month?
In che anno?	In what year?
Che c'è?	What is the matter?
A che serve ciò?	What is this for?
Che c'è di nuovo?	What's the news?
Questo qui o quello lì?	This one or that one?
Come questo o come quello?	Like this or like that?
Come? (Cosa dice?)	Pardon?

ENQUIRY AND INFORMATION

(See also 'Asking One's Way' on page 129; 'Asking Questions' on pages 61 to 70).

Ufficio Informazioni	The inquiry office
Potrebbe darmi qualche informazione circa	Could you give me some information about
i treni (le navi, gli aerci) per ...	trains (boats, planes) to ...
gli autobus (le escursioni) per ...	buses (excursions) to ...
la festa (la mostra) a ...	the festival (the exhibition) at ...
Ufficio Oggetti Smarriti	The lost peroperty office
Ho perduto ...	I lost ...
Ho lasciato ...	I left behind ...
Nell 'autobus da ... a ...	In the bus from ... to ...
Per favore potrebbe dirmi	Could you please tell me
dove posso ottenere ...?	where can I get ...?
come si chiama questo posto?	what this place is called?

che cos'è questo edificio?

what this buildings is?

a che serve ciò?

what is the use of this?

Per favore potrebbe

Could you please

consigliarmi un ristorante?

recommend me a restaurant?

cambiare un biglietto da mille lire?

change a 1000 lire note?

vendermi un francobollo?

sell me a stamp?

darmi un fiammifero? (farmi accendere?)

give me a light?

prestarmi la sua penna?

lend me your pen?

WANTS, WISHES, LIKES AND DISLIKES

Per favore vuole ...	Will you please ...
Per favore vorrebbe ...	Would you please ...
Vorrebbe avere la bontà di ...	Would you be so kind as to ...
Abbia la bontà di ...	Be so kind as to ...
Vorrei ...	I should like ...
In che posso servirla?	What can I do for you?
Che cosa vuole (lei)?	What do you want?
Che cosa vuole (egli)?	What does he want?
Che cosa vogliono (essi)?	What do they want?
Le piace mangiare ...?	Do you like eating ...?
Le piace bere ...?	Do you like drinking ...?
Le piace vedere ...?	Do you like seeing ...?
Le piace sentire ...?	Do you like hearing ...?
Le piace andare a teatro?	Do you like going to the theatre?
al cinema?	to the cinema?
all'opera?	to the opera?
al circo?	to the circus?

Le piace giocare	al tennis?	Do you like playing	tennis?
	alle carte?		cards?
	agli scacchi?		chess?
	a dama?		draughts?
Le piacciono	i cani?	Do you like	dogs?
	i gatti?		cats?
	le rose?		roses?
	i tulipani?		tulips?

Sì, molto. Più di ...	Yes, very. More than ...
Mi piace	I like it
Mi piacciono. Ma preferisco ...	I like them. But I prefer ...
... Ma preferisco piuttosto andare ...	... But I rather prefer to go ...
Non mi piace	I don't like
Non mi piace andare a ...	I don't like going to ...
Non mi piace giocare a ...	I don't like playing ...
Non mi piace mangiare ...	I don't like eating ...
Non mi piace vedere ...	I don't like seeing ...
Lui (lei) mi piace	I like him (her, it)
Mi piaci (Mi piacciono)	I like you (I like them)
Come lo ha trovato?	How did you like it?

Mi è piaciuto moltissimo (immensamente)	I liked it very much (immensely)
Mi è piaciuto qui (lì)	I liked it here (there)
Non mi è piaciuto (a)	I didn't like him (her, it)
Non mi è piaciuto(a) (pol.) Non mi sei piaciuto(a) (fam.) }	I didn't like you
Non mi sono piaciuti(e)	I didn't like them

PERMISSION AND NECESSITY

Posso	Can (may) I
avere questo posto?	have this seat?
metterlo lì?	put it there?
entrarci?	go in there?
prenderne uno?	take one?
tenerlo?	keep it?
Possiamo . . .	Can (may) we . . .?
Mi permetta . . .	Allow me . . .
E' permesso (proibito)	Is it permitted (forbidden)
fumare?	to smoke?
prendere un bagno qui?	to bathe here?
camminare per di qua?	to walk through here?
passare per di là in vettura?	to drive through there?
Faccia pure	Please do
No, per favore	Please don't
Certamente	By all means
Niente affatto	By no means

Si deve	aspettare a lungo?	Does one have to	wait long?
Dobbiamo	pagare per entrare?	Do we have to	pay to go in?
Devo (debbo)	lasciare una mancia?	Do I have to	leave a tip?
Devono (debbono)	andarci?	Do they have to	go there?
Deve	pagarlo?	Does he have to	pay for it?

POSSESSIVES

Mio padre	My father
Mia madre	My mother
I miei genitori	My parents
Suo figlio	His son
Sua figlia	His daughter
Suo fratello	Her brother
Sua sorella	Her sister
Suo zio (pol.)	
Tuo zio (fam.)	Your uncle
Sua zia (pol.)	
Tua zia (fam.)	Your aunt
La nostra casa	Our house
I nostri figli	Our children
Il loro cugino	Their cousin (male)
La loro cugina	Their cousin (female)
Questo mi appartiene	This belongs to me

POSSESSIVES

Questo ci appartiene	This belongs to us
(Essi) ci appartengono	They belong to us
Questo vi appartiene?	Does this belong to you?
Vi appartengono?	Do they belong to you?

EXCLAMATIONS

Che bel | cappello!   What a beautiful | hat!
     | giardino! | garden!
     | tramonto! | sunset!
     | fiore! | flower!
     | paesaggio! | landscape!
     | quadro! | painting!

Che bella borsa!   What a beautiful bag!

Che bell' | animale!   What a beautiful | animal!
        | abito! | dress!

Che belle pitture!   What beautiful | pictures!
Che bei fiori! | flowers!
Che begli alberi! | trees!

Che bella (brutta) giornata!   What a lovely (nasty) day!
Attenzione!   Mind! Look out!
Attento!   Careful!
Pronto!   Hallo!

Com'è bello!	How nice!
Dio mio!	Good (goodness) gracious!
Un momento (istante), per favore	One moment, please

POLITE EXPRESSIONS

(See also 'Greetings' and 'Leave-take' page 49; 'Thanks and Apologies' page 51).

Posso presentare . . .	May I introduce . . .
Lieto d'incontrarla	Pleased to meet you
Per piacere vuole presentarmi al signore (alla signora)?	Will you please introduce me to the gentleman (to the lady)?
Sono lieto di aver fatto la sua conoscenza	I am glad to have made your acquaintance.
Il piacere è mio	The pleasure is mine
Spero di rivederla presto	I hope to see you again soon
Venga a farci visita domenica	Come to see us on Sunday
A che ora posso venire?	At what time may I come?
Verso le quattro, se va bene per lei	Towards 4 o'clock, if it is convenient to you
Sarà un piacere	It will be a pleasure
Ne pregusto il piacere	I am looking forward to it

È ... in casa?	Is ... at home?
Vorrei vedere ...	I should like to see ...
Chi devo annunziare?	What name shall I say?
Prego, vuole entrare?	Will you come in please?
Prego, vuole accomodarsi?	Will you please take a seat?
Per favore, vuole aspettare alcuni istanti?	Will you please wait a few moments?
Mi dispiace di averla fatta aspettare	I am sorry to have kept you waiting
Mi dispiace di essere in ritardo	I am sorry for being late
Non la disturbo?	Am I not disturbing you?
Niente affatto	Not at all
In che posso servirla?	What can I do for you?
Sono venuto a portare i saluti di ...	I have come to deliver greetings from ...
Molto gentile da parte sua	Very kind of you
Come sta egli (ella)?	How is he (she)?
Come stanno?	How are they?
Come sta (lei)?	How are you?
Bene, grazie. E lei?	Thanks, fine. And you?
Benissimo. Sono stato ammalato, ma ora sto meglio	Quite well. I was ill, but I am better now

Sono contento di sentirlo — I am pleased to hear it

Mi dispiace di sentirlo — I am sorry to hear it

Posso offrirle qualche cosa? — May I offer you something?

Grazie mille. Ma ho avuto un pasto or ora — Many thanks. But I just had a meal

Mi dispiace di dovermene andare adesso — I am sorry I have to go now

Sono atteso alle . . . — I am expected at . . . o'clock

Favorisca ritornare presto — Please come soon again

Con il più grande piacere — With the greatest of pleasure

PRONOUNS

'Me, Us, You, Him, Her, It, Them'

1. Egli mi (ci, vi, li) aspetta — He is expecting me (us, you, them)

   Egli ti aspetta — He is expecting you (familiar form)

   Egli la aspetta — He is expecting you (polite form)

   Lo (la, li, mi, ci) conosce? — Do you know him (her, them, me, us)?

   Lo so. Non so — I know it. I don't know

   Lo (non lo) sa? — Do (don't) you know it?

Note that "Conoscere" means "to know" in the sense of "to be acquainted with". "sapere" means "to have knowledge of".

2. Prenda la mia matita — Take my pencil

   La prenda. Eccola — Take it. There it is

   Prenda la mia penna — Take my pen

   La prenda. Eccola — Take it. There it is

   Prenda il mio libro — Take my book

Lo prenda. Eccolo	Take it. There it is
Ecco i miei fiammiferi	There are my matches
Li prenda. Non li prenda	Take them. Don't take them
Non lo (la) prenda	Don't take it

Note: In Italian the Direct Object pronoun 'him' is 'lo'; 'her' is 'la'; 'it' is 'lo' when standing for a masculine noun and 'la' when standing for a feminine noun. 'Them' is 'li' (masculine), 'le' (feminine).

'To me, to use, to him, to her, to them, to you'

Mi dica	Tell me	
Ci scriva	Write to us	
Gli porti	Bring him	
Le dia	Give her	
Li aiuti	Help them	
Mandi loro	Send them	
Non posso aiutarla	I cannot help you	(polite)
aiutarti		(familiar)
dirle	I cannot tell you	(polite)
dirti		(familiar)

'Isn't it?', *'Don't you?'*, *'Aren't you?'*, *'Isn't he?'*, *'Doesn't she?'* etc.

When 'me, him, her, them, us and you' are used in the sense of 'to me, to him, to her, etc.' they are 'mi, gli, le, loro, ci, *vi* (or 'ti')' in Italian, *i.e.* they are the indirect objects.

Note that—

    'mi' is used for both 'me' and 'to me'.
    'ti'   ,,   ,,   'you' and 'to you' (familiar form)
    'vi'   ,,   ,,   'you' and 'to you' (polite form)
    'ci'   ,,   ,,   'us' and 'to us'.

Lei è italiano, non è vero?	You are Italian, are'nt you?
Lei parla inglese, non è vero?	You speak English, don't you?
È grazioso, non è vero?	That's pretty, isn't it?
Lei viene questa sera, non è vero?	You are coming tonight, aren't you?
Egli è il suo fidanzato, non è vero?	He is your fiance, isn't he?
Ella parla italiano, non è vero?	She speaks Italian, doesn't she?

'There is', *'there are'*, *'that is'*.

Non c'è nessuna camera libera	There is no room vacant
Non ci sono sedie	There are no chairs
Quella è la mia figlia maggiore	That is my elder daughter

TO HAVE AND TO BE

To have

Io ho	I have
Tu hai (fam.)	You have
Lei ha (pol.)	You have
Egli (ella, esso, essa) ha	He (she, it) has
Noi abbiamo	We have
Voi avete (fam.)	You have
Loro hanno (pol.)	You have
Essi hanno	They have
Io ho fame	I am hungry
Io ho sete	I am thirsty
Ho male alla testa	I have got a headache

To be

Io sono	I am
Tu sei (fam.)	You are
Lei è (pol.)	You are
Egli (ella, esso, essa) è	He (she, it) is
Noi siamo	We are
Voi siete (fam.)	You are
Loro sono (pol.)	You are
Essi sono	They are
Io sono inglese (m. & f.)	I am English
Io sono scozzese (m. & f.)	I am Scottish
Io sono americano(a)	I am American
E' (lei)	Are you
tedesco?	German? (m.)
tedesca?	German? (f.)
austriaco?	Austrian? (m.)
austriaca?	Austrian? (f.)
svizzero?	Swiss? (m.)
svizzera?	Swiss? (f.)

'No, not, don't'

No, (egli) non è qui	No, he is not here
Non dica ciò	Don't say that
Per favore non parli così in fretta	Please don't speak so fast
Non mi (lo, la) aspetti	Don't wait for me (him, her)
Non fumo	I don't smoke
Non ho coltello	I have no knife
Il signore non ha forchetta	The gentleman has no fork
La signora non ha cucchiaio	The lady has no spoon

'Did you?', 'I didn't'

Ha sentito ciò?	Did you hear that?
visto	see
letto	read
scritto	write
portato	bring
Non l'ho sentito (visto, ecc.)	I didn't hear (see, etc.) it
Si è fatto male?	Did you hurt yourself?
tagliato?	cut
bruciato?	burn

Mi sono	fatto male	I	hurt	myself
	tagliato		cut	
	bruciato		burnt	

Ci è andato? — Did you go there?
È venuto presto? — Did you come early?
Si è fermato a lungo? — Did you stay long?
non ci sono andato — I did not go there
Non sono venuto presto — I did not come early
Non mi sono fermato a lungo — I did not stay long

'I shall...', 'Will you...?'

Mangerò adesso — I shall eat now
Ci andremo domani — We shall go there tomorrow
(Egli) lo comprerà — He will buy it
(Essa) lo pagherà — She will pay for it
(Essi) partiranno domani — They will leave tomorrow
(Lei) verrà di nuovo? — Will you come again?
(Egli) andrà a piedi? — Will he go on foot?
(Essa) prenderà l'auto? — Will she take the car?
(Essi) andranno in treno? — Will they go by train?

NUMBERS, DATE AND TIME

A. Cardinal Numbers

0	zero	15	quindici
1	uno	16	sedici
2	due	17	diciassette
3	tre	18	diciotto
4	quattro	19	diciannove
5	cinque	20	venti
6	sei	21	ventuno
7	sette	22	ventidue
8	otto	23	ventitre
9	nove	24	ventiquattro
10	dieci	25	venticinque
11	undici	26	ventisei
12	dodici	27	ventisette
13	tredici	28	ventotto
14	quattordici	29	ventinove

30	trenta	80	ottanta
40	quaranta	90	novanta
50	cinquanta	100	cento
60	sessanta	200	duecento
70	settanta	1000	mille

in 1897 – nel milleottocentonovantasette

in 1973 – nel millenovecentosettantatre

B. Ordinal Numbers

1st	primo (a)	From 'eleventh' onwards they
2nd	secondo (a)	are formed from the cardinal
3rd	terzo (a)	numbers, which drop the last
4th	quarto (a)	vowel and add *-esimo*.
5th	quinto (a)	
6th	sesto (a)	
7th	settimo (a)	11th undicesimo
8th	ottavo (a)	12th dodicesimo
9th	nono (a)	13th tredicesimo
10th	decimo (a)	20th ventesimo
		21st ventunesimo

C. Days, Months, Seasons

I giorni	*The days*
Domenica	Sunday
Lunedì	Monday
Martedì	Tuesday
Mercoledì	Wednesday
Giovedì	Thursday
Venerdì	Friday
Sabato	Saturday

I mesi	*The months*
Gennaio	January
Febbraio	February
Marzo	March
Aprile	April
Maggio	May
Giugno	June
Luglio	July
Agosto	August
Settembre	September

Ottobre	October
Novembre	November
Dicembre	December

Le stagioni	*The seasons*
Primavera	Spring
Estate	Summer
Autunno	Autumn
Inverno	Winter

D. The Date

In Italian the cardinal numbers are used to express the days of the month, with the exception of 'primo' (first). 'On' and 'of' are not translated, and the article 'il (l')' is omitted when preceded by the day of the week, *e.g.*

il primo gennaio	(on) the 1st of January
il due febbraio	(on) the 2nd of February
martedì due febbraio	(on) Tuesday, February 2nd
il tre marzo	(on) the 3rd of March
il cinque maggio	(on) the 5th of May

Che data è oggi?	} What is to-day's date?
Quanti ne abbiamo (oggi)?	
Oggi è il dodici giugno	To-day is the 12th of June

E. Divisions of Time

Il secondo	second
Il minuto	minute
L'ora	hour
Una mezz'ora	half an hour
Un quarto d'ora	quarter of an hour
Il giorno	day
La notte	night
Il mattino (la mattina)	morning
La mattinata	forenoon
Mezzogiorno	noon
Il pomeriggio	afternoon
La sera	evening
Mezzanotte	midnight
Del mattino	in the morning (forenoon)
Del pomeriggio	in the afternoon

Di notte	at night
Oggi	to-day
Ieri	yesterday
Ieri l'altro	the day before yesterday
Domani	to-morrow
Dopodomani	the day after to-morrow
Questa mattina	this morning
Questo pomeriggio	this afternoon
Questa sera	this evening
Questa notte	to-night
Domani mattina	to-morrow morning
Ieri notte	last night
Un minuto (un'ora) fa	a minute (an hour) ago.
Tre minuti (ore) fa	3 minutes (hours) ago
Poco fa	a little while ago
La settimana scorsa	last week
L'anno scorso	last year
La settimana prossima (ventura)	Next week
L'anno prossimo (venturo)	Next year
Presto; tardi	early; late
Fra una settimana	in a week

Fra quindici giorni	in a fortnight
Qualche volta; spesso; raro; mai; sempre	sometimes; often; seldom; never; always
Ogni giorno; ogni settimana; ogni domenica	every day; every week; every Sunday
Una volta; due volte; tre volte	Once; twice; three times

F. Telling the Time

Che ora è (Che ore sono)?	What time is it?
Sono le trè	It is three o'clock
Sono le trè e un quarto	It is a quarter past three
Sono le trè e mezzo	It is half past three
Sono le quattro meno un quarto	It is a quarter to four
Sono le quattro meno dieci	It is ten to four.
Sono le undici antimeridiane	It is eleven a.m.
Sono le due del pomeriggio	It is two o'clock in the afternoon
Sono le dieci di sera	It is 10 p.m. in the evening
Mi chiami alle sei e mezzo	Call me at half past six
E' presto; tardi	It is early; late

L'orologio; il pendolo   *the watch; the clock*

è giusto (sbagliato)	is right (wrong)
va avanti (ritarda)	is fast (slow)
si è fermato	has stopped

WEIGHTS AND MEASURES

Pesi	*Weights*
gr. 28.35 – una oncia	1 ounce
gr. 453.60 – una libbra	1 pound
gr. 500 – mezzo chilo	half kilogram
gr. 1000 – un chilo (Kg. 1)	1 kilogram

Note: 'gr.' stands for 'grammo' (pl. grammi)

pesante	heavy
leggero	light
pesare	to weigh
il peso	the weight
eccesso di peso	overweight
le bilance	scales

Lunghezza · *Length*

cm. 1 – **Un centimetro**	10 millimetres – $\frac{3}{8}$ inch
cm. 2.50 – **un pollice**	1 inch – $\frac{1}{12}$ ft.

cm. 30	– un piede	1 foot – $\frac{1}{3}$ yd.
cm. 90	– una iarda	1 yard
cm. 100	– un metro	1 metre
m. 1000	– un chilometro (Km. 1)	1 kilometre
m. 1600	– Km. 1 and 600 m.	1 mile approx
Km. 8	– otto chilometri	5 miles
lungo		long
corto		short
largo		wide, broad
stretto		narrow
alto		high
profondo		deep

Capacità — *Capacity*

un litro		1 litre – 1$\frac{3}{4}$ pints
litri 0.568	– una pinta; mezzo litro (appr.)	1 pint – $\frac{1}{2}$ litre (appr.)
litri 1.13	– un quarto (due pinte) due litri	1 quart (two pints)
due litri		2 litres (– 3$\frac{1}{2}$ pints)
litri 4.543	– un gallone	1 gallon
Cinque litri		5 litres (– 1 gallon $\frac{3}{4}$ pint)

NOTICES

Uscita	Exit
Ingresso	Entry
Aperto	Open
Chiuso	Closed
Lavori in corso	Road works ahead
Vietato l'ingresso	No entry
Pericolo	Danger
Al mare	To the Sea
Fumatori	Smokers
Non fumatori	Non smokers
Tirare	Pull
Spingere	Push
Vietato il transito	No thoroughfare
Vietato fumare	No smoking
Vietato l'ingresso	No entry
Signori (opp. Uomini)	Gentlemen

Signore (opp. Donne)	Ladies
Occupato	Engaged
Libero	Vacant
Fermata	Stopping place
Destra	Right
Sinistra	Left
Da affittare	to let
Da vendere	for Sale
Vietato andare sull'erba	Keep off the grass
Attenzione ai borsaiuoli	Beware of pickpockets
I cani al guinzaglio	Dogs have to be led

Part II
TRAVEL

Travel	*Viaggi*
the journey	il viaggio
to travel	viaggiare
to the seaside	al mare
into the country	in campagna
into the mountains	in montagna
by train	in treno (col treno)
by boat	in battello (col battello)
by air	in aereo (con l'aereo)
by car	in automobile (con l'automobile)
on foot	a piedi

on a bicycle	in bicicletta
on a motor-bike	in motocicletta
the journey there	il viaggio di andata
the journey back	il viaggio di ritorno
round trip	il viaggio circolare
journey round the world	il viaggio attorno al mondo
business trip	il viaggio d'affari
journey abroad	il viaggio all'estero
to go abroad	andare all'estero
route	la strada, la via, il percorso
passport	il passaporto
visa	il visto
tourist agency	l'agenzia viaggi
time-table	l'orario
time of departure	l'orario di partenza
time of arrival	l'orario di arrivo
When is the next train (boat, plane) to . . . ?	A che ora parte il prossimo treno (battello, aereo) per . . . ?
When do we arrive at . . . ?	A che ora arriveremo a . . . ?
booking office	la biglietteria
ticket	il biglietto

single	**semplice**
return	**di andata e ritorno**
season ticket	**il biglietto d'abbonamento**
platform ticket	**il biglietto d'ingresso**
valid until	**valevole per . . .**
to book a seat	**prenotare un posto**
a berth in the sleeping car	**una cabina nella carrozza-letto**
a couchette	**una cuccetta**
to get in	**montare, salire**
to get out	**scendere**
to change	**cambiare**

Luggage   *Bagagli*

porter	**il facchino, il portabagagli**
heavy luggage	**il bagaglio pesante**
light luggage	**il bagaglio leggero**
trunk	**il baule**
suitcase	**la valigia**
travelling bag	**la borsa da viaggio**
hat-box	**la cappelliera**
rucksack	**lo zaino, il sacco da montagna**

attaché case	la valigetta
to have luggage registered	spedire i bagagli
luggage office	l'ufficio bagagli
left luggage office	il deposito bagagli
luggage receipt	lo scontrino
to weigh; weight	pesàre; il peso
overweight	l'eccesso di peso
to insure	assicurare
to send in advance	spedire anticipatamente
to take to the train	portare al treno
to leave in the cloakroom	lasciare al deposito bagagli
to fetch from the cloakroom	prelevare dal deposito bagagli
to pack; to unpack	fare le valigie; disfare le valigie

Customs

La Dogana

customs office	l'ufficio di dogana
customs official	il doganiere
customs examination	la visita di dogana
liable to duty	soggetto a dogana
free from duty	esente da dogana
to pay duty	pagare la dogana

TRAVEL

to declare	**dichiarare**
nothing to declare	**niente da dichiarare**
something to declare	**qualche cosa da dichiarare**
for my personal use	**per mio uso personale**
... was bought in ...	**... fu comperato a ...**
has been in use for some time	**è stato in uso per un pò di tempo**
the car documents	**i documenti dell' automobile**
receipt	**la ricevuta**
passport	**il passaporto**

Railway *Ferrovia*

See also sections 'Travel,' 'Luggage,' 'Customs.'

station	**la stazione**
train	**il treno**
fast-	**il rapido**
express-	**il direttissimo**
slow train	**l'omnibus**
stopping train	**l'accelerato**
through-	**il diretto**
goods-	**il treno merci**

excursion train	il treno festivo
railcar	la carrozza, la vettura
sleeping car	la carrozza-letto; la vettura-letto
couchette coach	la carrozza (vettura) -cuccette
compartment	lo scompartimento
smoker, non-smoker	fumatori, non fumatori
1st class, 2nd class	la prima classe, la seconda classe
seat; seat reservation	il posto; la prenotazione di posto
ticket; bed reservation	il bigleitto; la prenotazione letto
single; return	semplice; andata e ritorno
return ticket	il bigleitto di andata e ritorno
supplement; -ticket	il supplemento; il biglietto di supplemento
booking office	la biglietteria
to reserve a seat	prenotare un posto
a bed	un letto
a window	un finestrino
corner seat	il posto d'angolo
(seat) facing the engine	il posto nel senso del treno
(seat) back to the engine	il posto di spalle alla machina
platform	il marciapiede, la banchina

-ticket	il biglietto d'ingresso
waiting room	la sala d'aspetto
station master	il capostazione
ticket collector	il controllore
luggage rack	la rete
For how long is this ticket valid?	Per quanto tempo è valevole questo biglietto?
Do I have to change?	Devo cambiare?
Does this train connect with the train to . . . ?	Questo treno ha coincidenza col treno per . . . ?
From which platform (side of the platform) does the 8 o'clock train leave?	Da quale marciapiede (lato del marciapiede) parte il treno delle otto?
Please take my hand-luggage to the train and reserve a seat for me (seats for us)	Per favore porti i miei bagagli a mano al treno e riservi un posto per me (dei posti per noi)
Is this seat vacant?	E' libero questo posto?
Is this seat taken?	E' occupato questo posto?
How long do we stop here?	Quanto tempo ci fermiamo qui?
Do you mind if I open the window?	Le dispiace se apro la finestra?
Where can I get a porter?	Dove posso trovare un facchino?

| I have three pieces of hand-luggage and two of heavy luggage | Ho tre bagagli a mano e due pesanti |
| Please take my luggage to the train | Per favore porti i miei bagagli al treno |

Sea Travel   *Viaggio per mare*

harbour	il porto
sea	il mare
lake	il lago
river	il fiume
ferry	la nave-traghetto
crossing	la traversata
ship	la nave
steamer	il piroscafo
freighter	la nave da carico
sailing boat	la barca a vela
rowing boat	la barca a remi
motor boat	il motoscafo
life-boat	il battello di salvataggio
the hovercraft	L' hovercraft
the hovercraft terminal	il terminal hovercraft

life-belt	il salvagente
captain	il capitano
sailor	il marinaio
steward, -esse	il cameriere (la cameriera) di bordo
cabin	la cabina
deckchair	la sedia a sdraio
landing ticket	il biglietto di sbarco
sea-sickness	il mal di mare
to be sea-sick	avere il mal di mare

Air Travel — *Viaggio Aereo*

aeroplane	l'aeroplano
flying (n.)	il volare
airport	l'aeroporto
flight	il volo
departure	la partenza
taking off	il decollo
arrival	l'arrivo
landing	l'atterraggio
forced landing	l'atterraggio forzato

the jumbo-jet	il jumbo
the supersonic airliner	l'aereo supersonico
flight number . . .	il numero del volo
the departure gate	l'uscita partenze
the duty-free lounge	la sezione duty free
the boarding ticket	il cartellino d'imbarco
delay due to engine trouble	ritardo causato da un guasto tecnico
-fog	-dalla nebbia
in-flight meal	pasto in volo
baggage allowance	bagaglio permesso
charter flight	volo charter
ground hostess	hostess di terra
the arrival gate	il cancello d'arrivo
the luggage collection area	la raccolta bagagli
the airport 'bus	il pullman (o bus) dell'aereoporto
the air terminal	l'air terminal (o il terminal)
safety belt	la cintura di salvataggio
pilot	il pilota
air hostess	l'hostess
air-sickness	il mal d'aria
to be air-sick	avere il mal d'aria

cotton wool	l'ovatta, la bambagia
weather report	il bollettino meteorologico
cancelled	annullato, cancellato
postponed	differito

Motoring	*Automobilismo*
motor car	l'automobile
sports car	la vettura sportiva
the V8 engine	il motore a otto cilindri a V
the coupe	il coupè
the estate car (shooting brake)	la giardinetta
the land-rover	la landrover
the international driving permit	la patente internazionale
the self-service petrol station	il rifornimento self service
the motorway (or Italian equivalent)	l'autostrada
motor bicycle	la motocicletta
scooter	il motopattino
lorry	l'autocarro, il camion
petrol	la benzina

oil	l'olio
water	l'acqua
to fill up	fare il pieno, colmare
to add	aggiungere
anti-freeze	l'anticongelante
to check	controllare, verificare
oil-level	il livello dell'olio
engine	il motore
tyre pressure	la pressione dei pneumatici
to clean	pulire
to repair	riparare
to adjust	regolare
to examine	controllare
to renew	rinnovare
to put in	mettere in
to garage	mettere in rimessa
petrol station	la stazione di benzina
rapair shop	l'officina di riparazioni
garage	l'autorimessa, il garage
car park	il posteggio, il parcheggio
car park attendant	la persona addetta al parcheggio

to park	parcheggiare
driving licence	la patente di guida
insurance	l'assicurazione
registration	la registrazione
breakdown	guasto
puncture	la bucatura, la foratura
to wash	lavare
to grease	ingrassare
to oil	lubrificare
to tow in	rimorchiare
I need the car by	Ho bisogno della vettura
... o'clock	alle ore ...
this morning	questa mattina
this afternoon	questo pomeriggio
this evening	questa sera
tomorrow morning	domani mattina
When will the work be finished?	Quando saranno terminati questi lavori?
How much will the repair cost?	Quanto costa la riparazione?
What have I to pay?	Quanto costa? (or Quanto le devo?)

Motoring Glossary	*Glossario Automobilistico*
accelerator pedal	**il pedale dell'acceleratore**
air compressor	**il compressore d'aria**
air cooling system	**il raffreddamento ad aria**
air filter	**il filtro d'aria**
axle	**l'asse**
to backfire	**scoppiare**
body	**la carrozzeria**
battery (to charge)	**la batteria (caricare)**
bonnet	**il cofano**
bonnet fasteners	**il portacofano**
brakes	**i freni**
brake fluid	**il liquido freni**
bulb	**la lampadina**
bumper	**il paraurto**
camshaft	**l'albero della distribuzione**
carburettor	**il carburatore**
chassis	**il telaio**
clutch	**l'innesto a frizione**
connection	**l'attacco, il raccordo**

consumption	il consumo
crankshaft	l'albero a gomiti
crankcase	la coppa motore
cylinder	il cilindro
diesel engine	il motore Diesel
differential	il differenziale
direction indicator (semaphore)	l'indicatore a freccia
direction indicator (flashing)	il lampeggiatore
distributor	il distributore
door; -handle; -lock	la porta; la maniglia; la serratura
double-de-clutch	la doppietta
the fan belt	la cinghia del ventilatore
the hydrolastic suspension	la sospensione idrolastica
engine	il motore
four-stroke	a quattro tempi
two-stroke	a due tempi
exhaust pipe	la tubazione scarico gas
fan	il ventilatore
filter	il filtro
fuel: -tank	il carburante; il serbatoio
fuse	la valvola di protezione

foot brake	il freno a piede
gasket	la guarnizione
gear; first-; second-; top-	la marcia; in prima; in seconda; in terza
gearbox	la scatola cambio
generator	la dinamo
handbrake	il freno a mano
headlight	il faro, il proiettore
heater	il riscaldamento
hinge	la cerniera
horn	la tromba
ignition	l'accensione
jack	il martinetto
key	la chiave
lighting system	l'impianto d'illuminazione
lubrication	la lubrificazione
mixture; two-stroke- fuel-air-	la miscela; per motori a due tempi la miscela carburante-aria
oil-filter;	il filtro olio
-pipe	la tubazione-olio
-tank	il serbatoio dell'olio

petrol; petrol tank; petrol can	la benzina; il serbatoio della benzina il bidone per benzina
petrol engine; :gauge	il motore a benzina; l'indicatore livello benzina
pressure gauge	il manometro
pump	la pompa
radiator	il radiatore
reflector	il riflettore
screw; -driver	la vite; il cacciavite
spanner	la chiave inglese, la chiave a vite
spare parts; -wheel	le parti di ricambio; la ruota di scorta
sparking plug	la candela d'accensione
spring	la molla
starter	il motorino d'avviamento
steering gear; -wheel	lo sterzo; il volante
tail light	il fanalino d'arresto
tappets	le castagnole
transmission	la trasmissione, il passaggio
tyre; -lever	il pneumatico, la gomma la leva di montaggio

-valve	la valvola per pneumatici
valve	la valvola
ventilation	ventilazione
washer	la rondella
wheel	la ruota
window	il vetro
windscreen; -wiper	il parabrezza; il tergicristallo
the . . . does not work properly	il (lo, la, l') . . . non funziona bene

Road Signs   *Indicatori Stradali*

danger	pericolo
diversion	deviazione
cross roads	incrocio
slippery	strada sdrucciolevole
level crossing	passaggio a livello
closed to all vehicles	circolazione vietata per tutti i veicol
bend	curva
no entry	senso proibito, divieto d'ingresso
no stopping	divieto di sosta
no parking	divieto di parcheggio

speed limit	**limitazione di velocità**
end of speed limit	**fine della limitazione di velocità**
major road ahead	**dare la precedenza sulla strada maestra**
no overtaking	**divieto di sorpasso**
one way street	**strada a senso unico**
major road	**strada maestra**
entry	**entrata, ingresso**
exit	**uscita**
ice	**strada gelata**
frost damage	**danni di gelo**
steep gradient	**discesa pericolosa**
bad road	**cattivo tratto stradale**
road narrows	**pista ristretta**
two-way traffic	**circolazione in senso opposto**
slow	**adagio**
no through road	**passaggio vietato**
keep right	**senso obbligatorio a destra**
turn right	**senso obbligatorio voltare a destra**
overtake with caution	**attenzione nel sorpassare**
fallen rock	**caduta massi**

oncoming traffic has right of way	Precedenza al traffico opposto
dangerous junction	imboccatura pericolosa
end of motor road	fine dell'autostrada
entry to premises only	entrata permessa a veicoli che sostano

ACCOMMODATION

to find accommodation	**Trovare alloggio**
for one night	**per una notte**
for a week	**per una settimana**
for a few days	**per alcuni giorni**
with full board	**con pensione completa**
with breakfast	**con colazione**
with cooking facilities	**con agevolazioni per cucinare**
in a private house	**in una casa privata**
in a hotel (inn)	**in un albergo (in una locanda)**
in a youth hostel	**in un albergo per giovani**
to hire a tent (a villa)	**affittare una tenda (una villa)**
to pitch a tent	**rizzare (or fissare) una tenda**
a camping site; a caravan	**un sito da campeggio! una carovana**
washing facilities	**agevolazioni per lavare**
drinking water	**l'acqua potabile**
heating	**il riscaldamento**

central heating	il riscaldamento centrale
gas (electric) heating	il riscaldamento a gas (elettrico)
coal (oil) heating	il riscaldamento a carbone (a petrolio)
bathroom; lavatory	la stanza da bagno; il gabinetto di toeletta
boarding house	la pensione
furnished room	la stanza ammobiliata
apartment (flat)	l'appartamento
bedroom; living room	la camera da letto; la stanza di soggiorno
dining room; kitchen	la sala da pranzo; la cucina
landlord; landlady	il locatóre; la locatrice
rent; receipt	l'affitto (la pigione); la ricevuta
key; to the flat	la chiave; dell'appartamento
to the room	della camera
to the house	della casa
to give notice	notificare, dare avviso
a week's (month's) notice	notifica di una settimana (di un mese)
to move in; out; removal	entrare; andar via; il trasloco

At the Hotel	All'albergo
Can you recommend me a hotel?	Può consigliarmi un albergo?
Have you any rooms vacant?	Ha delle camere libere?
a single room; a double room	una camera a un letto; una camera a due letti
a room with private bath	una camera con bagno privato
bedroom and sitting room	la camera da letto ed il salotto
What is the price per day (week, month)?	Quanto costa al giorno (alla settimana, al mese)?
I will take this room	Prendo questa camera
Have my luggage sent up, please	Faccia portare su i miei bagagli, per favore
I should like to take a bath	Vorrei prendere un bagno
Have my luggage fetched from the station	Faccia andare a prendere i miei bagagli dalla stazione
The hot water tap does not work	Il rubinetto dell'acqua calda non funziona
The electric light	La luce elettrica
The heating	Il riscaldamento
Please let me have some soap (a towel)	Per favore mi faccia avere del sapone (un asciugamano)

another towel	un altro asciugamano
another pillow	un altro cuscino
another blanket	un'altra coperta
Please have this washed (cleaned)	Per favore faccia lavare (pulire questo)
ironed (pressed)	stirare (pressare questo)
I am leaving tomorrow morning	Parto domani mattina
Please let me have my bill	Per favore mi faccia avere il mio conto
Will you get me a taxi, please	Vuole chiamarmi un tassì, per favore
Will you take down my luggage, please	Vuole portare giù i miei bagagli, per favore
lounge; reception desk; lift	la sala di ritrovo (il vestibolo); la recezione; l'ascensore
receptionist; manager; cashier	il cerimoniere (segretario); il direttore; il cassiere
porter; boots; chambermaid	il facchino; il garzone d'albergo; la cameriera
dining room; writing room	la sala da pranzo; la sala da scrivere
bell; service; tip	il campanello; il servizio; la mancia

TAKING A FURNISHED ROOM

May I see the landlady?	Posso vedere la locatrice?
Have you a room to let?	Ha una camera da affittare?
The . . . Agency has given me your address	L'Agenzia . . . mi ha dato il suo indirizzo
I saw your advertisement in the newspaper	Ho visto la sua inserzione nel giornale
May I see the room?	Posso vedere la camera?
Haven't you a larger (smaller) room?	Non ha una camera più grande (più piccola)?
Do you provide full board?	Provvede pensione completa?
Just bed and breakfast	Solo camera e colazione
What is the price per week (month)?	Quanto costa per settimana (mese)?
I shall be staying about . . . weeks (months)	Mi fermerò circa . . . settimane (mesi)
Does this include attendance and light?	Il servizio e la luce sono compresi?

May I also see the other room?	Posso vedere anche l'altra camera
This will suit me all right, I'll take it	Questa va benissimo per me, la prendo
I shall leave you a deposit	Le lascio un deposito
May I move in in the afternoon?	Posso entrare nel pomeriggio?
Payment in advance (weekly notice) is usual, isn't it?	Pagamento in anticipo (notifica settimanale) è consueto(a), non è vero?

ASKING THE WAY

Where is the road to . . . ?	Dov'è la strada per . . . ?
Where does this road go to?	Dove va questa strada?
In what direction is . . . ?	In che direzione è . . . ?
Does this road lead to . . . ?	Questa strada va a . . . ?
Excuse me, where is the bus stop?	Mi scusi, dov'è la fermata dell'autobus?
Where can I find a bus?	Dove posso trovare un autobus?
Does this bus go to . . . ?	Questo autobus va a . . . ?
In what direction must I go?	In che direzione devo andare?
Where do I have to get off?	Dove devo scendere?
Do I get out here?	Devo scendere qui?
Which way do I go to . . . ?	Che via devo prendere per . . . ?
Would you be good enough to direct me to . . . ?	Vuole avere la bontà di indicarmi . . . ?
Is it far from here to . . . ?	E' . . . distante da qui?
Can I walk there?	Posso andarci a piedi?

Go straight on	Vada sempre diritto
Take the first on the right	Prenda la prima strada a destra
The second to the left	La seconda a sinistra
Near here	Qui vicino
Far from here	Lontano da qui
On the right	A destra (sulla destra)
On the left	A sinistra (sulla sinistra)
To the right	A destra
To the left	A sinistra
At the corner	All'angolo
Tramway (Streetcar)	Il Tram, la Tramvia
Underground (Subway)	La ferrovia sotterranea
The nearest underground station (petrol station, bus stop)	La più vicina stazione sotterranea (stazione di benzina, fermata dell'autobus)
Taxi	L'autopubblica, il tassì
A main road	Una strada principale
A side road	Una strada secondaria
Cross roads	Il crocicchio, il crocevia
To cross the road	Traversare la strada
A fork (in the road)	Un bivio, una biforcazione

SHOPS AND SHOPPING

shop (small)	la bottega
business-house (wholesale or retail	la casa di commercio (all'ingrosso o al minuto)
department stores	i grandi magazzini, i magazzini a reparti
The supermarket	Il supermarket
to buy	comprare
to sell	vendere
sold	venduto
to pay	pagare
paid	pagato
I'd like some soap	Vorrei del sapone
Have you any razor blades?	Ha delle lame di rasoio?
How many do you want?	Quante ne vuole?
A dozen. A pair	Una dozzina. Un paio
A pound. Half a pound	Una libbra. Mezza libbra

How much is that?	Quanto costa?
How much are these?	Quanto costano?
Will you show me some stationery?	Vuol mostrarmi qualche oggetto di cancelleria?
I want something like this	Desidero qualcosa come questo
What is the price of that dressing-gown in the window?	Quanto costa quella veste da camera in vetrina?
I should like to see some of the fountain-pens you have advertised	Vorrei vedere alcune delle penne stilografiche di cui lei ha fatto pubblicità
How much did you say this one was?	Quanto ha detto che costa questo(a) qui
No, that is not quite what I want	No, ciò non è proprio quello che desidero
I don't like these	Questi(e) non mi piacciono
I don't quite care for this style	Questo stile non mi piace affatto
Can you show me something different?	Può mostrarmi qualcosa di diverso?
That is not the right size (colour)	Non è la misura giusta (il colore giusto)
Haven't you anything bigger?	Non ha qualcosa più grande?

Haven't you anything smaller?	Non ha qualcosa più piccolo?
thicker?	più spesso?
thinner?	più sottile?
darker?	più scuro?
lighter?	più chiaro?
better?	di meglio?
cheaper?	più a buon mercato?
stronger?	più forte?
No, more like this	No, più simile a questo
Like that one you showed me just now, but slightly larger	Come quello(a) che mi ha fatto(a) vedere or ora, ma un poco più grande
How much a yard is it?	Quanto costa alla iarda?
That is more than I intended paying	E' più di quello che intendevo pagare
I'll take this pair	Prendo questo paio
I'll take these two	Prendo questi due
How much is that altogether, please?	Quanto in tutto, per favore?
That's all, thank you	Ciò è tutto, grazie

Here's a one-pound note   Ecco un biglietto da una sterlina
Can you change 1000 lire?   Può cambiare mille lire?
Good afternoon, I'm much obliged   Buon giorno, le sono molto obbligato
    to you

Colours   *Colori*

black	**nero**
blue	**blu**
brown	**marrone, bruno**
dark	**scuro**
green	**verde**
grey	**grigio**
light	**chiaro**
pink	**rosa**
red	**rosso**
white	**bianco**
yellow	**giallo**

Something in silk   **Qualcosa in seta**
            wool   **lana**

Something in	cotton	Qualcosa in cotone
	linen	tela o lino
	leather	pelle
	metal	metallo
	gold	oro
	silver	argento
	wood	legno
	glass	vetro

Baker   *Il Fornaio, il Panettiere*
baker's shop   la panetteria
bread   il pane
a loaf   una pagnotta
a roll   un panino
cake   la torta, la pasta, il dolce
buns   i panini, le ciambelle, le focacce

The Bank   *La banca?*
Do you use the Eurocheque system?   Accettate gli Eurocheque?
Can you cash these travellers   Potete incassarmi questi traveller's
   cheques?   cheques?
Do you take credit cards?   Accettate carte di credito?

Bookseller	*Il Libraio*
bookshop	la libreria
dictionary	il dizionario
phrase book	il frasario, la raccolta di frasi
guide book	la guida
map	la pianta, la mappa
The English novel	il romanzo inglese
romance	l'avventura inglese

Bootmaker	*Il Calzolaio*
a pair of shoes (boots)	un paio di scarpe (di stivali)
made to measure	fatte su misura
to mend	riparare
to sole	risuolare
to heel	rimettere i tacchi
shoe-lace	il laccio da scarpe
shoe-polish	il lucido da scarpe

The Camera Shop	*Il fotografo*
The black-and-white film	La pellicola bianco e nero
The 35 mm. film	La pellicola da 35 mm.
The colour film	a colori
The cartridge film	a cartuccia
for slides	Per diapositive
for prints	Per far stampare
The fast film	Pellicola rapida
A slow film	Pellicola lenta
Can you develop this?	Potete svilupparmi queste?
Can you load this camera (unload)?	Potete caricarmi (scaricarmi) la macchina fotografica?
The flashgun	Il sincronizzatore
The flashbulbs	Le lampadine per il flash
The aperture	l'apertura
The lens	L'obiettivo
The shutter speed adjustment	La regolazione della velocità dell' otturatore
The negatives	La negative
Can you print this?	Potete stamparla?
enlarge this?	ingrandirla?

The contact prints	Le copie
The Polaroid film	La pellicola polaroide

Clothing	*Vestiario*
dress	l'abito
blouse	la camicetta
skirt	la gonna
jacket	la giacca, la giacchetta
costume	il costume
suit	il vestito, l'abito completo
trousers	i calzoni, i pantaloni
waistcoat	il panciotto
material	la stoffa
overcoat	il soprabito, il cappotto
The mini skirt	La minigonna
The maxi coat	i cappotto
The bikini	il bikini
The dinner jacket	Lo smoking

Butcher	*Il Macellaio*
butcher's shop	la macelleria
meat	la carne
sausages	i salumi, le salsiccie

Chemist's	*La Farmacia*
dispensing	il farmacista
soap	il sapone
razor	il rasoio
The deodorant	il deodorante
safety razor	il rasoio di sicurezza
shaving-soap	il sapone per la barba
shaving-brush	il pennello per la barba
razor blade	la lama di rasoio
lipstick	il rossetto
powder	la cipria
scent	il profumo
cream	la crema
tooth-brush	lo spazzolino da denti
tooth-paste	il dentifricio

aspirin	l'aspirina
vaseline	la vaselina
iodine	l'iodio
cotton-wool	la bambagia, l'ovatta
bicarbonate of soda	il bicarbonato di soda
castor oil	l'olio di ricino
cordial drops	le gocce di cordiale
sleeping draught	il sonnifero

Dairy	*La Latteria*
milk	il latte
butter	il burro
eggs	le uova

The Electrical Shop	*L'elettricista*
This is broken	Si è rotto
Can you mend it?	Potete ripararlo(a)?
The radio	La radio
The television	Il televisore

The fan	Il ventilatore
The heater	La stufa
The washing machine	La lavatrice
The spin drier	La centrifuga
The electric mixer	Il miscelatore elettrico
The vacuum cleaner	L'aspirapolvere
The electric light	La luce elettrica
The electric oven	Il forno elettrico
stove	La stufa elettrica
grill	La griglia elettrica
bell	Il campanello elettrico
hotplate	La piastra elettrica
fan	Il ventilatore elettrico
switch	L'interruttore
Time-switch	Il temporizzatore
Electric blanket	Il termoforo
refrigerator	Il frigorifero elettrico
carving knife	Il coltello elettrico
The fuse	Il fusibile (la valvola)
The fuse-wire	Il filo per valvole
The electric generator	Il generatore elettrico

The light bulb	La lampadina
socket	La presa della luce
The 5-amp plug	La spina da 5 Amp
The adaptor	L'adattatore (il trasformatore)

Fishmonger's	*Il Pescivendolo*
fish	**il pesce**
Fruit Shop	*La Bottega di Frutta*
Greengrocer's	*L'erbivendolo, il Fruttivendolo*
Grocer's	*Il Droghiere*

The Furrier	*Il pellicciaio*
The fur coat	**La pelliccia**
The mink	**Il visone**
The musquash	**Il rat mouskè**
The coney	**Il coniglio**
The fun fur	**La pelliccia artificiale**

Haberdashery	*La Merceria*
thread	il filo
needle(s)	l'ago (gli aghi)
pin(s)	lo spillo (gli spilli)
safety pin(s)	lo spillo (gli spilli) di sicurezza
button(s)	il bottone (i bottoni)

Hairdresser	*Il Parrucchiere*
shave, please	(mi faccia) la barba, per favore
haircut	il taglio dei capelli
not too short	non troppo corti
rather short	piuttosto corti
water wave	l'ondulazione ad acqua
iron wave	l'ondulazione a ferro
permanent wave	la permanente
shampoo	lo shampoo

Hosier	*Il Calzettaio*
stockings	la calze (da donna)
socks	le calze (da uomo)

Jeweller	*Il Gioielliere*
jewel(s)	il gioiello (i gioielli)
ring	l'anello
bracelet	il braccialetto
brooch	la spilla
necklace	la collana

Laundry	*La Lavanderia*
linen	la biancheria
laundry list	la lista del bucato
shirt	la camicia
collar	il colletto
vest	la sottoveste, la camiciola
pants, slip	le mutande
towel	l'asciugamano
handkerchief	il fazzoletto
combinations	la combinazione
knickers	i calzoncini
night shirt	la camicia da notte
pyjamas	il pigiama

Market	*Il Mercato*
stall	la bancarella, la baracca
Newsvendor	*Il Giornalaio*
newspaper kiosk	l'edicola di giornali
newspaper	il giornale
morning paper	il giornale del mattino
evening paper	il giornale della sera
magazine	la rivista
Optician	*L'ottico*
spectacles	gli occhiali
frame	la montatura
Pastry Shop	*La Pasticceria*
(fancy) cake	la torta
(assorted) pastries	le paste

Photographer	*Il Fotografo*
camera	la macchina fotografica
photographic articles	gli articoli di fotografia
film; colour film	la pellicola; la pellicola a colori
to develop; to print	sviluppare; la prova
to take snaps	prendere delle istantanee
flashlight	il lampo al magnesio

Stationer's	*Il Cartolaio*
pencil	la matita
The ball point pen	La penna a sfera
refill	La ricarica per penna a sfera
fountain pen	la penna stilografica
ink; blotting paper	l'inchiostro; la carta assorbente
nib; penholder	il pennino; il portapenna
note-paper; envelope	la carta da lettera; la busta
packing paper; toilet	la carta d'imballaggio; la carta igienica
paper handkerchiefs	i fazzoletti di carta

Sweet Shop	*La Confetteria*
sweet; candy	la caramella, il confetto, il dolce
chocolate	la cioccolatta
a box of chocolate	una scatola di cioccolatini
Department Store	*Il Grande Magazzino*
department	il reparto
cash desk	la cassa
Tailor	*Il Sarto*
men's suit	il vestito da uomo
ladies costume	l'abito da donna
Tobacconist	*Il Tabbaccaio*
cigarette	la sigaretta
cigar	il sigaro
roll your own cigarettes	le sigarette fatte a mano
tobacco	il tabacco per sigarette
pipe	la pipa
tobacco	il tabacco

lighter   l'accendisigari
match   il fiammifero
a box of matches   una scatola di fiammiferi

Watchmaker   *L'orologiaio*

wrist watch   l'orologio da polso
alarm clock   la sveglia
to repair   riparare

THE POST OFFICE AND TELEPHONE

The Post-office	*L'ufficio Postale*
Where is the nearest post-office?	Dov'è ufficio postale più vicino?
What is the postage, please?	Qual'è l'affrancatura, per favore?
I want to register this letter	Voglio raccomandare questa lettera
Are there any letters for me?	Ci sono delle lettere per me?
Please forward my mail to this address	Per favore inoltri la mia posta a questo indirizzo
stamp	il francobollo
postcard	la cartolina, la cartolina postale
air-mail	la posta aerea
letter-box	la buca delle lettere
telegram	il telegramma
money-order	il vaglia
parcel	il pacco
registered letter	la lettera raccomandata
to have registered	fare raccomandare

Telephone	*Il Telefono*
to phone	telefonare
to ring up	chiamare al telefono
telephone number	il numero telefonico
telephone directory	la guida telefonica
phone-box	la cabina telefonica
I wish to phone to London	Desidero telefonare a Londra

EATING AND DRINKING

What will you have, tea or coffee?	Che cosa prende, tè o caffè?
Do you take sugar and milk in your tea?	Prende zucchero e latte nel tè?
Only milk, no sugar, thank you	Solo latte, nìente zucchero, grazie
Will you have some toast with your tea?	Vuole prendere dei crostini col tè?
Thank you, I will take some	Grazie, ne prenderò qualcuno
Would you be so kind as to pass me the salt?	Vorrebbe avere la bontà di passarmi il sale?
Can I pass you anything?	Posso passarle qualcosa?
May I help you to some more meat?	Posso servirle ancora della carne?
Just a little please	Solo un poco per favore
No thank you	No, grazie
No, I won't have any more, thank you	No, non ne voglio più, grazie
No, I enjoyed it very much, but I won't have any more	No, Mi è piaciuta molto, ma non ne voglio più

Will you have a glass of wine?	Beve un bicchiere di vino?
May I pour you out another glass?	Posso versarle un altro bicchiere?
May I peel an orange for you?	Posso sbucciarle un'arancia?
Have some more pudding?	Prende ancora del bodino? (budino)
Won't you help yourself to some ...	Non vuole servisi di un pò di ...
Are you fond of ...	È amante di ... (Le piace ...)
It's my favourite dish	È il mio piatto preferito
Not very much, if you will forgive my frankness	Non molto, se perdona la mia sincerità
How did you like the ...?	Come ha trovato il (lo, la, l') ...?
It was excellent (delicious)	È stato eccellente (delizioso)

Restaurant	*Il ristorante*
Waiter	il cameriere
A table for two	una tavola per due
the menu	il menu, la lista del pranzo, la carta delle vivande
The wine-list	la lista dei vini
The set meal	il pasto a prezzo fisso
Can you recommend this?	può raccomandare questo?

A knife (fork, spoon) is missing	Manca un coltello (una forchetta un cucchiaio)
Waiter, the bill, please	Cameriere, il conto per favore
You can keep the change	Pùo tenere il cambio
food	il cibo
fork	la forchetta
knife	il coltello
spoon	il cucchiaio
plate	il piatto
dish	la vivanda, la pietanza
breakfast	la prima colazione
to have breakfast	fare colazione
dinner	il pranzo
to dine	pranzare
supper	la cena
to have supper	cenare
boiled	bollito(a)
braised; stewed	stufato
baked	infornato, cotto al forno
fried, roasted	fritto, arrostito
minced	tritato

grilled	allo spiedo
salted	salato
well done	ben cotto
underdone	poco cotto
it is good	è buono
bad	cattivo
hot	caldo
sweet	dolce
burnt	bruciato
cold	freddo
raw	crudo
apple	la mela
apricot	l'albicocca
asparagus	l'asparago
bacon	il lardo
banana	la banana
beans	i fagiuoli, le fave
french beans	i fagiolini
beef	il manzo, la carne di bue
beefsteak	la bistecca
beetroot	la barbabietola

biscuit	il biscotto
bread	il pane
slice of bread and butter	la fetta di pane e burro, la tartina
breast	il petto
butter	il burro
brussel sprouts	i cavoli di Bruxelles
cabbage	il cavolo
carrot	la carota
cauliflower	il cavolfiore
celery	il sedano
cherry	la ciliegia
chocolate	la cioccolata
cream	la crema
cucumber	il cetriolo
date	il dattero
dessert	il dolce, la frutta
fig	il fico
chop	la costoletta
duck	l'anitra
eel	l'anguilla
egg	l'uovo

boiled egg	l'uovo bollito
fried egg	l'uovo al tegame
hard boiled	l'uovo sodo
soft boiled	l'uovo da bere
scrambled egg	l'uovo strapazzato
fish	il pesce
fruit	la frutta
stewed fruit	la frutta cotta
grapes	l'uva
game	la selvaggina
goose	l'oca
gravy	il sugo, la salsa
ham	il prosciutto
raw	crudo
cooked	cotto
hare	la lepre
herring	l'aringa
honey	il miele
hors-d'oeuvre	l'antipasto
jam	la marmellata, la conserva di frutta

ice-cream	il gelato
jelly	la gelatina
kidney	il rene, il rognone
lamb	l'agnello
lemon	il limone
lentil	la lenticchia
lettuce	la lattuga
liver	il fegato
lobster	l'aragosta, il gambero di mare
meat	la carne
melon	il melone
macaroni	i maccheroni
marmalade	la marmellata
mayonnaise	la maionese, la salsa maionese
mushrooms	i funghi
mustard	la senape, la mostarda
mutton	il montone
oil	l'olio
olive	l'oliva
nut	la noce, la nocciuola
omelet	la frittata, l'omelette

onion	la cipolla
orange	l'arancia
oyster	l'ostrica
pancake	la frittella
peach	la pesca
pea	il pisello
pear	la pera
pepper	il pepe
pie	il pasticcio (meat); la torta, la crostata (fruit)
pineapple	l'ananasso
plum	la prugna
pork	il maiale
potato	la patata
fried potatoes	le patate fritte
boiled potatoes	le patate lesse
mashed potatoes	il purè di patate
poultry	il pollame
wing	l'ala
leg	la coscia
prawn	il granchualino

rabbit	il coniglio
prune	la prugna secca, la pruna
raspberry	il lampone
rhubarb	il rabarbaro
rice	il riso
roast beef	il rosbif, il manzo arrosto
roast pork	l'arrosto di maiale
roast veal	l'arrosto di vitello
roll	il panino
rusk	il biscotto
salad	l'insalata
salmon	il salmone
salt	il sale
sandwich	il panino gravido, la tartina
cheese sandwich	due fettine di pane con formaggio
ham sandwich	due fettine di pane con prosciutto
	due fettine di pane con salame
sausage sandwich	la salsiccia,
sausage	il salame
sausages	le salsicce, i salami

shrimp	il gamberetto di mare
snack	lo spuntino
soup	la minestra, la zuppa
sole	la sogliola
spinach	lo spinace; gli spinaci
spaghetti	gli spaghetti
sardine	la sardina
sauce	la salsa, il condimento
steak	la costoletta, la fetta
strawberry	la fragola
sugar	lo zucchero
tomato	il pomodoro
tongue	la lingua
trout	la trota
turkey	il tacchino
veal	il vitello
vegetable	la verdura
vinegar	l'aceto

Drinks	Le Bevande
tankard	un boccale
glass	un bicchiere
cup	una tazza
bottle	una bottiglia
carafe	una caraffa
pot	un vaso

Non-Alcoholic	Non-Alcoolici
coffee	il caffè
black coffee	il caffè nero
with milk	il caffè e latte
iced	il caffè gelato
tea	il tè
with lemon	il tè con limone
beef-tea	il brodo
chocolate	la cioccolata
cocoa	il cacao
milk	il latte
water	l'acqua

mineral water	l'acqua minerale, l'acqua gazzosa
lemonade	la limonata, la gazzosa
lemon squash	la spremuta di limone
orangeade	l'aranciata
orange juice	il succo d'arancia
soda water	l'acqua di seltz

Alcoholic	*Alcoolici*
beer	la birra
a small glass of light beer	un bicchiere piccolo di birra chiara
a large glass of dark beer	un bicchiere grande di birra scura
lager	la birra tedesca
wine	il vino
white wine	il vino bianco
red wine	il vino rosso
local wine	il vino locale
hock	il vino del Reno
burgundy	di Borgogna
sweet wine	dolce
port	di Oporto

dry wine	il vino secco
vermouth	il vermut
claret	il chiaretto, il bordò
cider	il sidro
champagne	lo sciampagna
brandy	l'acquavite, il cognac
liqueur	il liquore
cordial	il cordiale
rum	il rum

MONEY

Money	*Il Denaro*
I wish to change English money into Italian	Desidero cambiare del denaro inglese in denaro italiano
to cash travellers' cheques	incassare degli assegni turistici
banknote	il biglietto di banca
small change	gli spiccioli
a 1000 lire note	un biglietto da mille lire
pound sterling	la lira sterlina
American (Canadian) Dollar	il dollaro americano (canadese)
bank	la banca
cheque	l'assegno bancario
receipt	la ricevuta
rate of exchange	il corso del cambio

THE WEATHER AND THERMOMETER

The Weather

What is the weather like to-day?
It is cold (cool)
It is hot (warm)
I am cold (warm)
It is fine
It is raining
It is snowing
It is windy
It is stormy
It is foggy
It is freezing
The sky is clear (cloudy)
The sun shines

Il Tempo

Che tempo fa oggi?
Fa freddo (fresco)
fa caldo (caldo moderato)
Ho (or Sento) freddo (caldo)
fa bello
piove
nevica
tira vento
c'è un temporale
c'è la nebbia
gela
il cielo è sereno (coperto)
il sole brilla

The Thermometer
Fahrenheit

Il Termometro
Il termometro di Celsius (or **termometro a centigradi**)

Fahrenheit	Celsius
–4	–20
0	–17.8
5	–15
23	– 5
32 freezing point	– 0 punto di congelazione
41	5
55	12.7
60	15.5
65	18.3
70	21.1
77	25
80	26.6
85	29.4
90	32.2
95	35
100	37.7
113	45
176	80

The Thermometer
212 boiling point

Il Termometro
100 punto di ebollizione

Note.—On the Continent the Celsius (= Centigrade) scale is employed.
To turn Fahrenheit into Celsius, subtract 32 and multiply by $\frac{5}{9}$; *e.g.*
$$95^\circ \text{F} = (95 - 32) \times \tfrac{5}{9} = 35^\circ\text{C}.$$
To turn Celsius into Fahrenheit, multiply by $\frac{9}{5}$ and add 32; *e.g.*
$$-5^\circ\text{C} = (-5 \times \tfrac{9}{5}) + 32 = 23^\circ\text{F}.$$

TOWN AND COUNTRY

town	la città
street	la strada
square	la piazza
sidewalk	il marciapiede
roadway	la carregiata
market	il mercato
suburb	il sobborgo, il suburbio
bridge	il ponte
river	il fiume
church	la chiesa
garden	il giardino
park	il parco
factory	la fabbrica
office	l'ufficio
museum	il museo
school	la scuola

town-hall	il municipio
castle	il castello
cathedral	la cattedrale, il duomo
policeman	l'agente di polizia, il carabiniere, la guardia, il poliziotto
police-station	l'ufficio di polizia, il posto di polizia
bank	la banca
cinema	il cinema
theatre	il teatro
hotel	l'albergo
gate	la porta, il portone, il cancello
letter-box	la buca delle lettere
consulate	il consolato
embassy	l'ambasciata

Country

La Campagna

in the country	in campagna
to the country	in campagna (alla campagna)
mountain	la montagna
mountains, range of	le montagne, la catena di montagne

valley	la valle
lake	il lago
pond	lo stagno, il laghetto
stream	il ruscello
village	il villagio
seaside resort	la stazione balneare (or termale)
spa	la stazione termale, la stazione balneare, le terme, i bagni
place, hamlet	la località, la frazione di campagna

AT THE SEASIDE

the sea; the beach	il mare; il lido, la spiaggia
the coast; the harbour	la costa; il porto
the wave; the current(s)	l'onda; la corrente (le correnti)
high tide; low tide	l'alta marea; la bassa marea
bathing; swimming	il bagno (i bagni); il nuoto
the sea is rough (calm)	il mare è agitato (calmo)
the beach is sandy (pebbly)	la spiaggia è sabbiosa (ciottolosa)
bathing costume; -cap	il custome da bagno; la cuffia da bagno
bathing towel; -wrap	l'asciugamano da bango; l'accappatoio
beach shoes; -tent	le scarpe da spiaggia; la tenda da spiaggia
bathing hut; pier	la cabina; la gettata, il molo
life boat; belt	il battello di salvataggio; il salvagente

sailing boat; rowing-	la barca a vela; la barca a remi
to sail; to row	veleggiare; remare
canoe; surf board	la canoa; l'idroscì
surf riding; water ski-ing	lo sport dell'idroscì; lo scì nautico
diving; -outfit	il tuffo; lo scafandro
underwater swimming	il nuoto sott'acqua (il nuoto subacqueo)

THE FAMILY

The Family	La Famiglia
Christian name	Il nome di battesimo
surname	il cognome
maiden name	il nome da signorina
parents	i genitori
children	i figli
father	il padre
mother	la madre
brother	il fratello
sister	la sorella
son	il figlio
daughter	la figlia
father-in-law	il suocero
mother-in-law	la suocera
son-in-law	il genero
daughter-in-law	la nuora

brother-in-law	il cognato
sister-in-law	la cognata
half-brother	il fratello uterino (il fratellastro)
half-sister	la sorella uterina (la sorellastra)
grandfather	il nonno
grandmother	la nonna
grandparents	i nonni
grandson	il nipote, il nipotino
granddaughter	la nipote, la nipotina
uncle	lo zio
aunt	la zia
cousin (male)	il cugino
cousin (female)	la cugina
nephew	il nipote
niece	la nipote
godfather	il padrino
godmother	la madrina
born	nato
birth	la nascita
birthday	il compleanno, il giorno natalizio
baptism, baptised	il battesimo; battezzato

confirmation	la cresima
engagement; engaged	il fidanzamento; fidanzato(a)
marriage	il matrimonio, lo sposalizio
married	ammogliato (of man); maritata (of woman)
the marriage ceremony	la cerimonia nuziale
husband; wife	il marito; la moglie

THE HUMAN BODY

The Human Body	*Il Corpo Umano*
hair; head	i capelli; la testa
face; forehead	la faccia; la fronte
ear; eye	l'orecchio; l'occhio
eyebrow; eyelash	il sopracciglio; il ciglio
nose; mouth	il naso; la bocca
lip; tongue	il labbro; la lingua
cheek; skin	la guancia; la pelle
beard; moustache	la barba; i baffi
neck; shoulder	il collo; la spalla
chest; hearing	il petto; l'udito
lungs; stomach	i polmoni; lo stomaco
arm; hand	il braccio; la mano
finger; thumb	il dito; il pollice
back; spine	la schiena; la spina dorsale
leg; knee	la gamba; il ginocchio

foot; toe	il piede; il dito (del piede)
lame; crippled	zoppo; storpio (deforme)
deaf; dumb	sordo; muto
bald; blind	calvo; cieco
slim; stout	snello; robusto
tall; short	alto; corto
good looking; ugly	di buon aspetto; bruto
healthy; ill	sano; malato
health; illness	salute; malattia
old; young	vecchio; giovane
. . . years old	di . . . anni
How old are you?	Quanti anni ha?
God bless you!	Dio la benedica!

Health	*La Salute*
How are you?	Come sta?
How is your father (mother)?	Come sta suo padre (sua madre)?
How are the children?	Come stanno i bambini?
Very well, thank you, and you?	Molto bene, grazie, e lei?
Fine—quite well—fairly well	Bene—benissimo—abbastanza bene

I am afraid not too well	Non troppo bene ho paura
What is the matter with you?	Che cos'ha lei?
You look (don't look) well	Lei ha buona (cattiva) cera
Don't you feel well?	Non si sente bene?
I don't feel well	Non mi sento bene
I am ill	Sono ammalato
I have had an incident	Ho avuto un incidente
I have caught a cold	Mi sono raffreddato
I have a headache	Mi fa male la testa; ho male alla testa
He has a sore throat	Gli fa male la gola; ha male alla gola
She has a temperature	(Essa) ha la febbre
a rash	una eruzione cutanea
food poisoning	un avvelenamento di cibo
a pain in the back	un dolore alla schiena
a pain in the chest	al petto
a pain in the stomach	allo stomaco
He broke his arm (leg)	Egli si è rotto il braccio (la gamba)
She has fainted	Essa è svenuta

I feel sick	Mi sento nausea; ho nausea
I sprained my ankle	Mi sono slogato(a) la caviglia
I hurt my leg	Mi son fatto(a) male alla gamba
There is something in my eye	C'è qualcosa nel mio occhio
She has had a sunstroke	Essa ha avuto un'insolazione
He has had a heart attack	Egli ha avuto un attacco cardiaco
I have cut (burnt, hurt) myself	Mi sono tagliato (bruciato, fatto male)
It is bleeding	Sanguina
Please send for the doctor	Per favore mandi a chiamare il dottore
There has been an accident	C'è stata una disgrazia
a rail crash	C'è stato un disastro ferroviario
a plane crash	aereo
a car crash	automobilistico
Someone has fallen down	Qualcuno è caduto
He has fallen in the water	Egli è caduto nell'acqua
She has been run over	Ella è stata investita
Please take him (her) to a hospital	Per favore lo (la) porti ad un ospedale

Please fetch an ambulance	Per favore chiami un'ambulanza
Have you a first-aid outfit?	Ha un fornimento di pronto soccorso?
We have to stop the bleeding	Dobbiamo fermare l'emorragia
dress the wound	fasciare la ferita
apply a splint	applicare una stecca
Can you recommend me a doctor? (dentist)	Può consigliarmi un dottore (dentista)?
I have a pain here	Ho un dolore qui
acute toothache	Ho un acuto mal di denti
broken a tooth	Mi sono rotto un dente
broken my plate	Ho rotto la mia dentiera
Can you relieve the pain?	Può alleviare il dolore?
fill (pull) the tooth?	otturare (estrarre) il dente?
repair the plate?	riparare la dentiera?
Can I have an injection?	Posso avere un'iniezione?
That hurts	Fa male
I am allergic to penicillin	Sono allergico alla penicillina

SPORT, AMUSEMENTS, PASTIMES

Sport	*Lo Sport*
to play	giocare
a game of ...	una partita a ...
sports' grounds	i campi sportivi
racing track	la pista da corsa
to win; won	vincere; vinto
to lose; lost	perdere; perduto
to beat; beaten	battere, battuto
player (male and female)	il giocatore; la giocatrice
spectator	lo spettatore
the equipment	l'equipaggiamento
to join in a game	prendere parte ad una partita
to have a game	fare una partita

Archery	*Il Tiro All'arco*
bow	**l'arco**
arrow	**la freccia**
Athletics	*L'Atletica*
Billiards	*Il Bigliardo*
Boxing	*Il Pugilato*
Boating	*Il Canottaggio*
Fencing	*La Scherma*
Fishing	*La Pesca*
-line	**la lenza**
-rod	**la canna da pesca**
-net	**la rete**
-boat	**la barca da pesca**
bait	**l'amo**

Athletics	*Atletica*
The 5,000 metres	**Il 5,000 metri**
Putting the shot	**Il lancio del peso**
High jump	**Il salto in alto**
Triple jump	**Il salto triplo**

Long jump	Il salto in lungo
Pole vault	Il salto con l'asta
Throwing the hammer	Il lancio del martello
discus	disco
javelin	giavellotto
Hurdles	Gli ostacoli
the 400 metres hurdles	La corsa dei 400 metri a ostacoli
World record	Il primato mondiale (o record mondiale)
Olympics	Le Olimpiadi
Pentathlon	Il pentatlon
Cycling	*Il ciclismo*
bicycle	la bicicletta
tyre	il pneumatico, la gomma
puncture	la bucatura, la foratura
Football	*Il Giuoco Del Calcio*
football ground	il campo dì calcio
team	la squadra
goal	la porta, la rete

Gliding	*Vólo a vela*
Golf	*Il Golf*
-course	il campo di golf
-club	la mazza da golf
a round	una partita di golf
Mountaineering	*L'Alpinismò*
to climb the ...	scalare il (la) ...
a guide	una guida
rope	la corda
to rope	fare una cordata
axe	la scure
mountain hut	la capanna di montagna
mountain railway	la ferrovia di montagna
mountain top	la cima, la vetta
Racing	*Le Corse*
horse-	le corse ippiche
car-	le corse di automobili

bicycle-	le corse bicicletta
motor-bicycle-	le corse di motocicletta
race course	l'ippodromo, il campo di corse, la pista

Riding — *L'Equitazione*

horse	il cavallo
riding stables	le scuderie
saddle	la sella
riding track	la pista di equitazione
riding boots	gli stivali da equitazione

Rowing — *Remare*

rowing boat	la barca a remi
oar	il remo

Sailing — *La Veleggiata*

The power boat race	La gara di motoscafi
sailing boat	la barca a vela
sail	la vela

Shooting	*La Caccia*
gun	il fucile

Skating	*Il Pattinaggio*
skating rink	il campo di pattinaggio
skates	i pattini
skating boots	le scarpe di pattinaggio
roller skates	i pattini a rotelle
roller skating	il pattinaggio a rotelle

Ski-ing	*Corse Con Gli Scì*
skis	gli scì
ski boots	le scarpe da scì
ski stick	il bastone da scì
ski-ing lessons	le lezioni di scì
spring-board	il trampolino
slope	il pendio
snow	la neve
goggles	gli occhialoni, gli occhiali di protezione

Swimming	*Il Nuoto*
swimming bath	la vasca da nuoto, la piscina
bathing costume	il costume da bagno
bathing cap	la cuffia da bagno
bathing towel	l'asciugamano
bathing wrap	l'accappatoio
bathing cabin	la cabina
bathing trunks	le mutandine da bagno
free-style	stile libero
breast stroke	rana
butterfly	farfalla
back-stroke	dorso
diving	i tuffi
individual medley	la mista individuale

Tennis	*Il Tennis*
tennis-court	il campo da tennis
tennis ball	la palla da tennis
racqet	la racchetta
net	la rete

forty-fifteen	quaranta-quindici
smash	smash
table tennis	il tennis da tavolo

Water Sports — *Sport D'Acqua*

surf riding	lo sport dell'idroscì
surf board	l'idroscì
pedal boat	la barca a pedale
waterski	lo scì nautico

Diving — *Il Tuffo*

| underwater swimming | il nuoto subacqueo |

Entertainments — *Divertimenti, Trattenimenti*

theatre; cinema	il teatro; il cinema
opera; musical comedy	l'opera; l'operetta
ballet; concert	il balletto; il concerto
musical hall; circus	il teatro di varietà; il circo
dance hall; ball room	la sala da danza; la sala da ballo
box office; ticket	l'ufficio cassa; il biglietto

SPORT, AMUSEMENTS, PASTIMES

seat; to book a	il posto; prenotare un posto
a box; orchestra stalls	un palco; le poltrone di platea
the stalls; the dress circle	le poltrone; la prima galleria
a seat in the stalls	un posto nelle poltrone
a seat in a box	un posto in un palco
three seats in the upper circle	tre posti nella seconda galleria
standing room in the gallery	un posto in piedi nel loggione
programme; opera glasses	il programma; i binocoli
performance; interval	la rappresentazione; l'intervallo
afternoon performance	la rappresentazione del pomeriggio
evening performance	la rappresentazione di sera
the stage; the play	il palcoscenico; lo spettacolo
comedy; tragedy	la commedia; la tragedia
feature film; newsreel	la pellicola; il documentario
orchestra; conductor	l'orchestra; il direttore d'orchestra
a waltz; a tango	un valzer; un tango
May I ask for the next dance, please?	Mi permette il prossimo ballo, per piacere?

Pastimes	*Passatempi*
Do you play . . . ?	Suona . . . ?
the piano	il piano
the violin	il violino
the flute	il flauto
the guitar	la chitarra
Do you play . . . ?	Giuoca . . . ?
chess	agli scacchi
draughts	a dama
billiards	al bigliardo
dominoes	a domino
cards	alle carte
Are you interested in . . . ?	S'interessa di . . . ?
painting	pittura
sculpture	scultura
drawing	disegno
architecture	architettura
music	musica
literature	letteratura
history	storia
astronomy	astronomia

the gramophone	il grammofono
record player	il giradisco
gramophone record	il disco
long playing record	il microsolco
tape recorder	il magnetofono
recording tape	il nastro
wireless set	l'apparecchio radio
television	la televisione
television set	l'apparecchio televisivo
to switch on, off	accendere, spegnere
to listen	ascoltare
to look	guardare

Water-ski-ing	*Sci nautico*
slalom	slalom
tricks	bravure
to cross the wash	attraversare la scia

LETTER WRITING

he Date

The date is written on the top right hand side of the page and preceded
y the name of the place you write from.

The month is indicated either in figures or in letters.

Roma, 10 ottobre 19. . .
Roma, 10.10.19. . .

he Address

Sig. Pietro Rossi   Al Sig. . . . (follows Name)
Via Roma, 33   Via Mazzini, 10
Torino.   Genova.

Gent. mo Sig. . . . (followed by name)
Via Piave, 20
Napoli.

To a firm: Ai Sigg. . . . (follows name of the firm).
     or Spett. Ditta . . . (follows name of the firm).

List of abbreviations of modes of address

Ill. mo Sig. . . . (followed by name)=Illustrissimo Signor . . .
Gent. mo Sig. . . . (followed by name)=Gentilissimo Signor . . .
Egregio Sig. . . . (followed by name).
Sig. ra, signora, or Gent. ma Sig. ra . . . (followed by name).
Sig. na, signorina, or Gent. ma Sig. na . . . (followed by name).
Dott., dottore (doctor).
Spett., spettabile (used for addressing a firm).
Ditta, Società (company); Spett. Ditta . . . (follows name).
S.A., Società Anonima (Ltd. Company).
S.N.I.A., Società Nazionale Italiana Anonima.

The Heading

Signor X, Signora X, Signorina X,	Mr. X, Mrs. X, Miss X,
Signori X	Messrs. X
Caro Signore,	Dear Sir,
Cara Signora (or Signorina),	Dear Madam (or Miss),
Signori,	Gentlemen,

The Ending

Coi migliori saluti	With my best greetings
Coi migliori auguri	With my best wishes
Saluti a . . .; La prego salutarmi . . .	Please remember me to . . .; Remember me kindly to . . .
Mia madre la prega di salutarle . . .	My mother wishes to be remembered to . . .
Suo (Tuo) aff. mo	Yours affectionately
Sempre il tuo	Yours for ever
Suo sincero	Yours sincerely
Suo devotissimo	Yours faithfully

USEFUL LETTERS FOR THE TOURIST

(1) *Letter to a tourist office asking information*

Egregi Signori,

    Ho l'intenzione di passare le mie vacanze estive con la mia famiglia in Italia e sarei lieto se loro volessero mandarmi un prospetto della loro località assieme ad una lista di alberghi (pensioni, stanze) raccomandati(e) indicandone i prezzi.

    Accludo una cedola internazionale per la risposta.

    Li ringrazio anticipatamente per le loro informazioni.

                    Loro devotissimo,

Translation:

Dear Sirs,

    I intend to spend my summer holidays with my family in Italy, and should be glad if you would send me a prospectus of your locality together with a list of recommended hotels (boarding houses, rooms) indicating their prices.

    I am enclosing an international reply coupon.

    Thank you in advance for your information.

                Yours faithfully,

(2) *Letter to a local tourist agent asking about camping and bathing facilities*

Egregi Signori,

    Desidero informarmi se nella loro località o vicinanze c'è un posto da campeggio (un posto per carovane). Sarebbe possibile noleggiare una tenda (una carovana) costì?

    Se ci sono tali facilità, sarei grato di avere ulteriori dettagli, specialmente qual'è la distanza dalla città (o villaggio) più vicina(o) e se il campo ha facilità per lavare e per cucinare. Sarei anche interessato di sapere se c'è una piscina nelle vicinanze.

    Accludo una cedola internazionale per la risposta e Li ringrazio anticipatamente per le loro informazioni.

                Loro devotissimo,

Translation:

Dear Sirs,

I wish to enquire whether there is in your locality or its neighbourhood a camping site (a caravan site). Would it be possible to hire a tent (a caravan) there?

If there are such facilities, I should be grateful for further particulars, especially what the distance is to the nearest town or village, and if the camp has washing and cooking facilities. I should also be interested to know whether there is a swimming bath in the neighbourhood.

I enclose an international reply coupon and thank you in anticipation.

Yours faithfully,

(3) *To the proprietor of a hotel asking if accommodation is available on a certain date*

Egregio Signore,

    Mia moglie ed io intendiamo passare alcuni giorni a . . ., arrivando il 15 giugno. Sarei lieto di sapere se lei può alloggiarci. Abbia la cortesia anche di farmi sapere le sue condizioni inclusive per pensione completa ed anche le sue condizioni per solo vitto e alloggio.

                    Suo devotissimo,

Translation:

Dear Sir,
      My wife and I intend to spend a few days at . . ., arriving on the
15th of June. I shall be glad to know if you can accommodate us. Please
also let me know your inclusive terms for full board, also your terms for
bed and breakfast only.

                      Yours faithfully,

(4) *Reservation of a hotel room*

Egregio Signore,

La ringrazio per la sua lettera del 18 c.m., nella quale mi dice che Lei può riservarci una camera matrimoniale dal 15 al 21 giugno.

Noto dal listino dei prezzi che Lei ha accluso, che Lei fa pagare L . . . per una camera matrimoniale con bagno, colazione inclusa, e Le sarei grato se volesse riservarmi una camera a queste condizioni.

Noi arriviamo il 15 giugno verso sera.

Translation:

Dear Sir,

     I thank you for your letter of the 18th inst., telling me that you could reserve me a double room for the period 15 to 21st of June.

     I see from the price-list you enclosed, that you charge L. . . . for a double room with bath, breakfast included, and should be glad if you would reserve me a room at these terms.

     We shall arrive on the 15th of June towards the evening.

(5) *To the proprietress of a boarding house*

Egregia Signora,

La sua pensione ci è stata raccomandata da un'Agenzia di turismo
della Sua città (dalla famiglia Smith che è stata con Lei l'anno scorso).
Noi desidereremmo stare con Lei quest'anno per tre settimane dall'8 al
28 agosto. Se Lei non potesse alloggiarci in questo periodo, noi potremmo
rimandare le nostre vacanze di una o due settimane. Oltre a me e mia
moglie, la nostra famiglia si compone di quattro bambini, di 15, 12, 8 e 5
anni. Due camere sarebbero sufficienti. Un bambino potrebbe dormire
con noi e gli altri potrebbero condividere una camera con tre letti.

Se Lei fosse in grado di alloggiarci durante il tempo sopraddetto, La
sarei riconoscente di una risposta sollecita, dichiarando le Sue condizioni
inclusive per tutta la famiglia.

Suo dev. mo,

Translation:

Dear Madam,

     Your boarding house has been recommended to us by the tourist office in your town (by the Smith family who stayed with you last year). We should like to stay with you this year for three weeks from the 8th to the 28th of August. Should you not be able to accommodate us for this period, we could postpone our holidays by one to two weeks. Besides myself and my wife, our family consists of four children, aged 15, 12, 8 and 5. Two rooms should be sufficient. One child could sleep with us and the others share a room with three beds. Should you be able to accommodate us during the period stated, I should be grateful for an early reply, stating your inclusive terms for the whole family.

                    Yours faithfully,

(6) To a seaside landlady

Egregia Signora,

     Ho ottenuto il Suo indirizzo da una lista di stanze ammobiliate fornitami dall'Agenzia di Turismo della Sua località e sarei lieto di sapere se Lei ha una camera libera dal primo al 14 luglio.

     Noi siamo due amici e preferiremmo camere separate ma, se Lei non può fornircele, siamo disposti anche a condividere una stanza con due letti separati.

     Se Lei può alloggiarci in questo periodo, sarei lieto di sapere se le camere hanno acqua calda e fredda corrente ed anche se Lei provvede colazione ed altri pasti.

     Quanto dista la Sua casa dal mare? Ci sono buoni, ma non troppo cari, ristoranti a distanza conveniente?

     Ringraziandola anticipatamente per la sua cortese risposta,

                   Suo devotissimo,

Translation:

Dear Madam,
    I obtained your address from a list of furnished rooms supplied by the tourist office in your locality and should be glad to know whether you have a vacancy from the 1st to the 14th of July.

We are two friends who would prefer separate rooms, but if you cannot provide these, would also consider one room with two separate beds.

If you could accommodate us during this period, I should be glad to know whether the rooms have running hot and cold water and also whether you provide breakfast and other meals.

How far is your house from the sea? Are there good, but not too expensive restaurants in reasonable distance?

Thanking you in anticipation of your kind reply.

Yours faithfully,

(7) *To an estate agent enquiring about a villa*

Signori,
        Desideriamo noleggiare una villa in o vicino a . . . , dal primo di luglio fino alla fine di settembre.
        Dovrebbe essere completamente ammobiliata e contenere uno o due bagni ed anche alloggiare nove persone: due coppie sposate che hanno bisogno di una camera ognuna e cinque bambini che potrebbero condividere delle camere. Un bambino potrebbe dormire, se è necessario, sul sofà del salotto.
        Sarei lieto di avere una lista di ville convenienti con indicazioni esatte della loro posizione e preferibilmente accompagnate da fotografie.
        In attesa della Loró cortese risposta a giro di posta,

                        Loro devotissimo,

Translation:

Dear Sirs,

We wish to rent a villa at or near . . ., from the 1st of July until the end of September.

It would have to be fully furnished and contain one or two bathrooms, as well as sleeping accommodation for nine; two married couples requiring a bedroom each, and five children who could share rooms. One child could, if necessary, sleep on the living room couch.

I should be glad to have a list of suitable villas with indications of their exact location and preferably accompanied by photographs.

Awaiting your esteemed reply by return of mail,

Yours faithfully,

(8) *Reservation of rooms*

Egregia Signora,
       La ringrazio per la Sua lettera del 29 u.s.
    Sono contento che Lei può alloggiarci e sarei lieto se volesse riservare
le due camere alle condizioni stabilite nella Sua lettera.
    Suppongo che tutt'e due le camere hanno acqua calda e fredda corrente
e che il prezzo inclusivo di L. . . . al giorno comprende servizio e tutte le
altre spese.
    Sarei lieto se Lei volesse gentilmente confermare questa riserva, e ri-
mango

                              Suo devotissimo,

Translation;

Dear Madam,

I thank you for your letter of the 29th ult.

I am glad that you are able to accommodate us and should be glad if you would reserve the two rooms for us at the terms stated in your letter.

I assume that both rooms have hot and cold running water, and that the inclusive price of L.... per day includes service and all further charges.

I should be glad if you would kindly confirm this reservation, and remain,

Yours faithfully,

(9) *Request for confirmation*

Egregia Signora,

    Le ho scritto il 2 c.m. domandandole di riservarmi le due camere offertemi nella Sua lettera del 29 u.s. Le ho anche chiesto di avere la cortesia di confermare questa riserva.

    Siccome non ho ricevuto Sue notizie, desidero informarmi se Lei ha ricevuto la mia lettera e se la riserva è stata effettuata.

    In attesa di una sua urgente risposta, rimango,

Suo devotissimo,

Translation:

Dear Madam,

    I wrote to you on the 2nd inst. asking you to reserve for me the two rooms offered to me in your letter of the 29th ult. I also asked you to kindly confirm this reservation.

    As I have not heard from you, I wish to enquire whether you received my letter and whether the reservation has been made.

    Awaiting your immediate reply, I remain.

Yours faithfully,

(10) *Cancellation of a reservation*

Il 3 c.m. Le ho chiesto di riservarmi una camera a partire dal 25 maggio. Lei ha confermato questa riserva nella Sua lettera del 7 c.m.

Purtroppo devo domandarle di cancellare questa riserva perchè a causa di circostanze impreviste sono costretto a differire tale riserva per un periodo di tempo indeterminato.

Translation:

On the 3rd of the month I asked you to reserve for me a room from the 25th of May. You confirmed this reservation in your letter of the 7th inst. Unfortunately I have to request you to cancel this reservation, as in view of unforeseen circumstances I have to postpone the reservation for an indefinite period.

Appendix

COUNTRIES—THEIR LANGUAGES— INHABITANTS

Name of Country	*Corresponding Adjective or Language*	*Inhabitants*
Africa—L'Africa	l'africano	Africano
America—L'America	l'americano	Americano
Arabia—L'Arabia	l'arabo	Arabo
Argentina—L'Argentina	l'argentino	Argentino
Asia—L'Asia	l'asiatico	Asiatico
Austria—L'Austria	l'austriaco	Austriaco
Bavaria—La Baviera	il bavarese	Bavarese

Name of Country	Corresponding Adjective or Language	Inhabitants
Brazil—Il Brasile	il brasiliano	Brasiliano
Belgium—Il Belgio	il belga	Belga
Great Britain—		
La Gran Bretagna	il britannico	Britannico
Canada—Il Canadà	il canadese	Canadese
Chile—Il Cile	il cileno	Cileno
China—La Cina	il cinese	Cinese
Czechoslovakia—		
La Cecoslovacchia	il cecoslovacco	Cecoslovacco
Denmark—		
La Danimarca	il danese	Danese
Egypt—L'Egitto	l'egiziano	Egiziano
England—		
L'Inghilterra	l'inglese	Inglese
Europe—L'Europa	l'europeo	Europeo
Finland—		
La Finlandia	il finnico	Finnico
France—La Francia	il francese	Francese

Name of Country	Corresponding Adjective or Language	Inhabitants
Germany— La Germania	il tedesco	Tedesco
Greece—La Grecia	il greco	Greco
Holland—L'Olanda	l'olandese	Olandese
Hungary— L'Ungheria	l'ungherese	Ungherese
India—L'India	l'indiano	Indiano
Ireland—L'Irlanda	l'irlandese	Irlandese
Italy—L'Italia	l'italiano	Italiano
Japan—Il Giappone	il giapponese	Giapponese
Mexico—Il Messico	il messicano	Messicano
New Zealand— La Nouva Zelanda	il neozelandese	Neozelandese
Norway—La Norvegia	il norvegese	Norvegese
Pakistan—Il Pakistan	il pakistano	Pakistano
Poland—La Polonia	il polacco	Polacco
Portugal— Il Portogallo	il portoghese	Portoghese
Russia—La Russia	il russo	Russo

Name of Country	*Corresponding Adjective or Language*	*Inhabitants*
Scotland—La Scozia	lo scozzese	Scozzese
South Africa—Il Sud Africa	il sudafricano	Sudafricano
South America—Il Sud America	il sudamericano	Sudamericano
Spain—La Spagna	lo spagnolo	Spagnolo
Sweden—La Svezia	lo svedese	Svedese
Switzerland—La Svizzera	lo svizzero	Svizzero
Turkey—La Turchia	il turco	Turco
U.S.A.—Gli Stati Uniti d'America	l'americano	Americano
U.S.S.R.	l'Unione Sovietica	
Wales—Il Galles	il gallese	Gallese
Yugoslavia—La Iugoslàvia	l'iugoslàvo	Iugoslavo

Other Geographical Names

the Alps—**Le Alpi**
Rome—**Roma**
Milan—**Milano**
Naples—**Napoli**
Florence—**Firenze**
Venice—**Venezia**
Sicily—**Sicilia**
Lake Garda—**Lago di Garda**
Lake Como—**Lago di Como**

Note

(1) The forms given for the "Inhabitants" are the masculine forms, singular. For the feminine, singular change the final "o" to "a". Those ending in "e" are both masculine and feminine

(2) The plural of words ending in "e" (both masculine and feminine) is formed by changing the final "e" to "i".

The plural of words ending in "o" is formed by changing the "o" to "i".

The plural feminine is formed by changing the "a" to "e". Add an "h" after a "c" or a "g" before the final "e".

e.g. greca—greche

THE SUNSHINE PHRASE BOOKS

Uniform with this book

Sunshine German Phrase Book
Sunshine French Phrase Book
Sunshine Italian Phrase Book
Sunshine Spanish Phrase Book

Some other Paperfronts:

Healthy Houseplants A–Z
Out Of The Freezer Into The Microwave
Microwave Cooking Properly Explained
Food Processors Properly Explained
Slow Cooking Properly Explained
Wine Making The Natural Way
Easymade Wine
Traditional Beer And Cider Making
Handbook Of Herbs
Buying Or Selling A House

Elliot Right Way Books, Kingswood, Surrey, U.K.

Elliot Right Way Books, Kingswood, Surrey, U.K.